TEXTES FRANÇAIS CLASSIQUES ET MODERNES

General Editor: Professor R. Niklaus B.A., Ph.D., L. ès L.,
Hon. D. de l'U

TUEUR SAN

D1461187

Eugène Ionesco

TUEUR SANS GAGES

Edited with an Introduction by

J. H. McCORMICK, B.A., Ph.D.

**Lecturer in French,
Trinity College, Dublin**

HODDER AND STOUGHTON
LONDON   SYDNEY   AUCKLAND   TORONTO

ACKNOWLEDGMENTS

Thanks are due to the following publishers for permission to quote from copyright material
Editions Gallimard (*Notes et contre-notes*); Nouvel Office d'Edition et de Diffusion (*Entretiens avec Claude Bonnefoy*).

ISBN 0 340 08082 5

Printed in Great Britain for
Hodder and Stoughton Educational,
a division of Hodder and Stoughton Ltd,
Mill Road, Dunton Green, Sevenoaks, Kent, by
Richard Clay (The Chaucer Press) Ltd,
Bungay, Suffolk

FOREWORD

THIS volume is one of a series of French texts, comprehensive in scope and catholic in taste, with subject matter ranging from the seventeenth to the twentieth century. The series is designed to meet the needs of pupils in the sixth forms of grammar and public schools and also of university students reading for General or Honours degrees in French.

Editors have been invited to determine, in the light of their specialized knowledge, the right method of approach to their specific texts, and their diversity of treatment provides in itself a valuable introduction to critical method. In each case the editors have given their readers an accurate text, together with a synthesis of recent research and criticism in their chosen field of study, and a stimulating expression of personal opinion based upon their own examination of the work concerned. The introductions, therefore, are not only filled with information but are highly individual and have a vitality that should arouse the enthusiasm of the student and quicken his interest in the text.

If it be true, as Sainte-Beuve has stated, that the first duty of the critic is to learn how to read, and the second to teach others how to read, these texts should fulfil their proper function; and it is to be hoped that through their novel approach to the critical study of literature, coupled with the accurate presentation of the necessary background information, a fuller understanding of some of the great works of French literature will be achieved.

Notes have been reduced to the minimum needed for the elucidation of the text; wherever necessary, chronologies of the life and works of the authors examined are included for purposes of reference; and short bibliographies are appended as a guide to further study.

R. NIKLAUS

CONTENTS

INTRODUCTION

1. 'Tueur sans gages' and the theatre of Ionesco

Tueur sans gages is one of the three or four key plays in the evolution of Ionesco as a dramatist. Completed in 1957 and performed in 1959 (his last major plays, *Victimes du devoir* and *Amédée* date back to 1952 and 1953 respectively), *Tueur* is his first attempt at a full-length three-act play. It also introduces the character of Bérenger, who will reappear in *Rhinocéros*, *Le piéton de l'air* and *Le roi se meurt*, a constant figure who has been compared to Charlie Chaplin and also to a mixture of Don Quixote and Sancho Panza, hero and anti-hero rolled into one, Everyman and a projection of the author himself. More significantly, he is the most recognizably human figure as yet to emerge from amongst the caricatures and puppets that inhabit the early plays. Morvan Lebesque, not always one of the most favourable critics where Ionesco was concerned, described *Tueur* as 'une étape capitale dans l'œuvre de Ionesco'.[1] Various other critics also saw the play as epoch-making and many former *anti-ionesquiens* were converted. He was now an accepted author, the public had seen or read his earlier plays (his first volume was published in 1953 and Gallimard had taken him up in 1954), and the shock tactics used in *La cantatrice chauve*, for example, no longer had quite the same novelty value as in 1950. The avant-garde had caught up with Ionesco and 'anti-theatre' (i.e. plays which attempted to demolish all existing theatrical conventions) had begun to spread like an epidemic. Anti-theatre in itself is a dead-end, since, like the Dada movement of the 1920s, it contains the seeds of its own destruction. In *Tueur* Ionesco moves forward, beyond mere destruction. A number of his early supporters were undoubtedly disappointed that the revolutionary figure seemed to be returning to a more classical type of dramaturgy. *Tueur* was, on the surface, the most readily comprehensible of Ionesco's plays to date. It has a definite story and looks, at first glance, to be very like the sort of play condemned by Choubert in *Victimes du devoir*:

---

[1] *Carrefour*, 4.3.1959. Lebesque also comments, with some reserve, on what he sees as the technical improvement of *Tueur* and concludes: 'Le théâtre de Ionesco est en train de périmer la "comédie" de l'entre-deux-guerres et des années 1950.'

Toutes les pièces qui ont été écrites, depuis l'antiquité jusqu'à nos jours, n'ont été que policières. Le théâtre n'a jamais été que réaliste et policier. Toute pièce est une enquête menée à bonne fin. Il y a une énigme, qui nous est révélée à la dernière scène.[1]

He is anti-aristotelian, against the play that is virtually modelled on a detective story. *Tueur* bears some superficial resemblance to a detective story, but it soon becomes clear that the clues which should lead to the arrest of the killer have no significance whatsoever. A familiar framework is used as a peg on which to hang a metaphysical theme.

Like much of Ionesco's drama, this play had a dream as its origin. In the dream he was looking for a murderer. Suddenly, in the twilight, he found him. He started to approach and then noticed the knife: *Ce couteau a coupé le fil de mon rêve.* The following morning Ionesco drew on this dream to write *La photo du colonel.*[2] This was in 1955. Two years later this short story became *Tueur sans gages.* He had not been slow to perceive its scenic possibilities and, in reworking it, produced his most literary play to date. Most of Ionesco's earlier plays seem to have sprung, ready-created, from the author's sub-conscious and, indeed, much of his writing of plays is a spontaneous activity, in some ways akin to the automatic writing practised by the Surrealists of the 1920s.[3] *La photo du colonel* is a good example of this type of writing. However, a second, and more conscious, literary process had to be carried out for this short and densely-written story to be expanded into a relatively long and complex play involving a large number of characters and an elaborate use of décor and stage machinery.

To the simple linear plot of *La photo* Ionesco adds the character of Dany, whose death provides Bérenger with a more specific motivation to go in search of the killer. He also adds the chorus of voices that constitutes the first part of Act II. *La photo*, like some of Kafka's stories, belongs to the world of private obsessions, but the play places these at a certain distance. The self of the story, represented by the fictional first person narrator, is replaced by a real, human, figure with a physical presence who can be seen with some degree of objectivity by the

[1] *Théâtre I*, p. 185.

[2] Interview given by Ionesco to A.S. in *Combat*, 26.2.1959.

[3] Despite the resemblance of some aspects of his work to that of the Surrealists, and the fact that Breton and other members of the group were only too ready to claim him as one of theirs ('Voilà ce que nous avons voulu faire il y a vingt ans'), Ionesco has always refused to allow himself to be labelled 'surrealist' or 'neo-surrealist'. This is probably part of his fundamental objection to labels and to the whole idea of classifying (which is illustrated so well in *Tueur*).

audience. The shift from the inner and unsubstantial to the external and physical is particularly evident in the political parody of the mère Pipe scene (this character does not exist in the story). It is perhaps worth noting that in 1957, the same year as *Tueur*, Ionesco wrote the story *Rhinocéros* from which he was subsequently to derive his most politically orientated play. The origin of *Rhinocéros* is not just a dream but a very real political situation: the author's own personal experience in pre-war fascist Rumania. In the final pages of *Tueur* the shift in technique is most evident. The killer of *La photo* is described briefly, most of the emphasis being placed on the hard cruelty of his gaze. The narrator rapidly comes to the conclusion that:

> Aucune parole, amicale ou autoritaire, aucun raisonnement n'auraient pu le convaincre. . . [1]

Out of this brief indication Ionesco develops the great final scene which has been called one of the most anguishing in the whole history of the theatre.

Bérenger himself may not be an analysable character in the same way as Hamlet or a Racinian hero, but he is recognizably human, sufficiently so for an audience to identify at least partially with him. His experiences give a unity to the play, and in this he has a structural function not unlike that of the central figure in a Molière comedy. He is the antithesis of the hero, a scruffy, slightly ludicrous and pathetic figure, redeemed by a strong element of naïvety and a naturally well-meaning disposition. Ionesco calls him a hero in spite of himself.[2] He is the last person we expect to undertake the heroic crusade against the killer. However, his essential humanity makes him the representative of all of us and he is, therefore, the one hope man has in the struggle against the destructive forces that surround him.

In the play *Rhinocéros* Bérenger reappears in a more specifically political context; *Le piéton de l'air* places him in the dream world of the author (the theme of this play is the relationship between the everyday world and the unconscious); and in *Le roi se meurt* he is elevated to a crumbling throne as a modern Everyman (the subject here is a meditation on man's encounter with death). Jean, the central figure of *La soif et la faim*, is yet another Bérenger figure and, like his four predecessors

---

[1] *La Photo du colonel*, Gallimard, 1962, p. 51.
[2] Quoted by Rosette C. Lamont in 'The hero in spite of himself', *Yale French Studies* 29, p. 73. (This article is devoted mainly to *Rhinocéros* and *Tueur*.)

(and his slightly more distant ancestor, Choubert, in *Victimes du devoir*), he too is engaged in a quest: the search for an Edenic paradise in which death and evil no longer have any significance. As in the previous plays, the quest ends in failure, but the very fact that it should be undertaken implies that human life in itself represents a positive value in a world where all other values seem to be discredited.

Various critics have fastened on the figure of Bérenger and treated him as a mere projection of the author. This is a particularly tempting field of speculation, especially since Ionesco has let us see so much of himself and of his obsessions and dreams in writings such as *Printemps 1939*,[1] *Journal en miettes, Présent passé, Passé présent* and *Découvertes*, not to mention the countless interviews which he has always been very ready to give. It is, however, as dangerous to do this as to interpret every first-person fictional narrator in a novel as 'merely the author'. Ionesco has made the point clear that, although there is much of himself in his main figures, these figures also contain much that he knows he is not but that he would like to be, or that he is frightened of becoming. They contain material from his dreams, but also observation of other people and what he likes or dislikes about them.[2] He likes to personify some of his own private obsessions, such as his almost constantly present fear of death, and he does, unquestionably, use Bérenger to present some of these obsessions, but he does so with a conviction that these obsessions are so fundamental as to have a universal value:

> En exprimant mes obsessions fondamentales, j'exprime ma plus profonde humanité, je rejoins tout le monde spontanément au-delà de toutes les barrières de castes et psychologies diverses. J'exprime ma solitude et je rejoins toutes les solitudes; ma joie d'exister ou mon étonnement d'être sont ceux de tout le monde même si, pour le moment, tout le monde refuse de s'y reconnaître.[3]

2. *A drama of images*

After reading or seeing the plays of his more immediate predecessors such as Camus or Sartre, one cannot help but be struck by the revolu-

---

[1] Published in the volume *La photo du colonel.*

[2] See Claude Bonnefoy, *Entretiens avec Eugène Ionesco*, Pierre Belfond, 1966, p. 67.

[3] *Notes et contre-notes*, Gallimard, coll. Idées, 1966, p. 87. The archetypal value of Bérenger did not escape the critics. Pierre Marcabru, *Arts*, 4.3.1959, compared the final scene with Œdipus and the Sphinx and called Bérenger 'une sorte d'Œdipe minable qui veut comprendre.'

tionary nature of Ionesco's dramatic technique, a technique that does not depend on an appeal to the intellect through argument and discussion or dialogue for its effect. Here is a dramatist whose work corresponds to the dramatic theories elaborated during the first half of the century by such men as Gordon Craig, Gaston Baty and Antonin Artaud,[1] all of whom failed to discover a playwright of Ionesco's stature. For these men theatre was essentially an affective art form, appealing to the audience directly through its different senses (hence the emphasis they place on theatre as a synthesis of different art forms). Ionesco's treatment of the spoken word will require further discussion—part of his contribution to the theatre is, in fact, a new use of language—but for the moment what is particularly significant is the use he feels should be made of other forms of expression:

> Mais il n'y a pas que la parole: le théâtre est une histoire qui se vit, recommençant à chaque représentation, et c'est aussi une histoire que l'on voit vivre. Le théâtre est autant visuel qu'auditif. Il n'est pas une suite d'images, comme le cinéma, mais une construction, une architecture mouvante d'images scéniques.[2]

He sees his plays as being constructed around an initial image or idea and he expresses this in specifically theatrical terms. The original dream of the killer provided a concrete central image on which to hang an essentially metaphysical theme. The killer himself is an abstract concept, but is expressed through the symbolic figure of a murderer.

Various interpretations of *Tueur* have been offered. The weakness of many of them is that they tend to be too limiting and precise, too anxious to explain what Ionesco is at some pains to show cannot be explained. The disturbing power of the play comes from its portrayal, particularly in the last act, of the total helplessness of man in a world which defies any sort of rational explanation. In dramatic terms also the killer is all the more effective because of the uncertainty of what he stands for and the impossibility of any dialogue with him.

The killer has been interpreted as war, with the photograph of the colonel as the attraction of military prestige.[3] Another critic saw the mysterious evil that he incarnates as being primarily man's demonic

---

[1] Their major theoretical writings are:
Craig, *On the art of the theatre*, Heinemann, 1962.
Baty, *Rideau baissé*, Bordas, 1949.
Artaud, *Le théâtre et son double*, Gallimard, coll. idées, 1966.
[2] *Notes et contre-notes*, p. 63.
[3] See Marcelle Capron in *Combat*, 2.3.1959.

thirst for knowledge, symbolized by the irresistible attraction of the photograph.[1] More significant is the interpretation offered by Richard Schechner, for whom the killer is death itself.[2] The important thing for him is that Bérenger's self persists to the very end and, as he says, 'it may not forestall death, but it affirms the life of the race of men'. Bérenger's arguments fail not because they are clichés or false, but because there is no defensive weapon against death.

Ever since his childhood Ionesco has been preoccupied with death. In 1938 he received a scholarship to come to Paris to write a thesis on 'Les thèmes du péché et de la mort dans la poésie française depuis Baudelaire'. The thesis was not completed, but the problems of sin and death are explored over and over again in the plays. Dying is the whole action of Le roi se meurt; in the form of an epidemic it is the central image of Jeux de massacre; and in La soif et la faim, Jean sets out on a long and fruitless quest:

> Il me faut l'air de la montagne, quelque chose comme la Suisse, un pays hygiénique où personne ne meurt. Un pays où la loi vous interdit de mourir.[3]

Ionesco revolts against death as part of the human condition. An existentialist sense of alienation is, for him, closely related to a mystic and even religious experience. In one of his interviews with Claude Bonnefoy he explains Tueur in terms of the Fall:

> E.I. On fait bien des contresens sur Tueur sans gages. Au premier acte, Bérenger entre dans une cité radieuse. Il découvre un monde trans-figuré qui avait été défiguré: il retrouve le paradis après avoir quitté le monde des limbes.
> C.B. Ce qui est inquiétant, c'est que ce paradis soit habité par un criminel. Que signifie alors ce monde lumineux et menacé?
> E.I. C'est la dégradation, la chute.
> C.B. C'est le sommet.
> E.I. C'est la chute.
> C.B. C'est le sommet, le point à partir duquel on tombe.
> E.I. C'est cela.
> C.B. L'extase ne suppose-t-elle pas le moment où l'on retombe dans le quotidien?
> E.I. Oui, c'est la chute, c'est le péché originel, c'est à dire le faiblisse-

[1] P.-A. Touchard, 'L'itinéraire d'Eugène Ionesco', Revue de Paris, juillet, 1960.
[2] Article in Tulane Drama Review, vol. 7, No. 3, Spring 1963.
[3] Théâtre IV, p. 97.

ment d'une intensité de l'attention, d'une force du regard; c'est-à-dire encore la perte de la faculté de s'émerveiller; l'oubli; la sclérose de l'habitude; la virginité du monde; c'est bien le péché originel: on peut connaître, mais on ne reconnaît plus rien et on ne se reconnaît plus. C'est aussi un mal qui s'introduit dans le monde.[1]

Few of the original reviewers seem to have grasped the use of religious allegory. The Fall theme runs through Ionesco's plays from *Les chaises*, with its references to a garden from which the two old people are excluded and to a now extinguished *ville de lumière*, to *La soif et la faim* which could be regarded as a more recent and fuller exploration of a very similar theme to *Tueur*.

If Ionesco uses the Judeo-Christian myth of the New Jerusalem, he does so not because he wants to write a religious play, but because this myth is a fundamental element of Western civilization and is therefore deeply embedded in the unconscious of anyone who has been brought up in this civilization, whether a believer or not.

Nous espérons tous en la cité idéale, c'est à dire nous espérons tous que surgira des déserts et de la mort la Nouvelle Jérusalem. Nous espérons la transfiguration du monde, et nous l'espérons tant que durera ce mythe qui nous vient des Juifs. Marx a su moderniser ce mythe ancien de la cité idéale.[2]

The Christian myth, like the Greek myth of the time of Sophocles, presents archetypal situations on which the creative artist can draw.

A large part of the anguish of Bérenger results from the awareness of his fallen condition. He suffers from a feeling of alienation and exclusion, a feeling that he does not belong. This same feeling occurs in the *Journal en miettes* in which Ionesco describes a number of dream experiences constantly involving the image of a wall that seems to prevent the two halves of the self from coming together. The importance of the *expériences de lumière* (such as the arrival in the *cité radieuse*) is that they offer moments when the feeling of alienation disappears, moments at which the two halves seem to come together, when there is what Bérenger calls *un accord total entre moi du dedans et moi du dehors* and he can joyfully exclaim: *Je redeviens moi-même*. It is at such moments that he has a sense of wonder and of freshness, almost as if he were looking at the world newly created.

In the first act Bérenger is so filled with this sense of wonder that the

---

[1] *Entretiens*, p. 35.   [2] *Présent passé, Passé présent*, p. 58–9.

cité seems to have a physical reality: *On la touche du doigt*. Yet the audience cannot see it and it has no more solid reality than the characters who are supposed to occupy the empty chairs in *Les chaises*. The *cité* is so perfect an ideal that it cannot be represented in material terms, it is made of pure light. More significantly, however, as the play progresses, the audience becomes aware that the *cité*, as an ideal, is within Bérenger's mind. What he can see is not a miracle, it is merely a mirage, an illusion. Where he has had a feeling of fulness there is in fact nothing.[1]

The character of Dany is used to add a minor but related theme, the power of love to redeem fallen man.[2] Bérenger compares her with an angel and the effect her presence has on him is similar to that of the *cité*:

Je croyais que le printemps était revenu pour toujours . . . que j'avais retrouvé l'introuvable, le rêve, la clef, la vie . . . tout ce que nous avons perdu en vivant.

The love is not reciprocated. The death of Dany closes a possible door and Dany herself remains almost as much of a mirage as the *cité*.

In the autobiographical writings Ionesco frequently harks back to some especially happy moments of his childhood spent, for the sake of his health, in a country village, la Chapelle Anthenaise. For the sickly little town boy this village seemed like an earthly paradise. His vision of this paradise was always associated with bright colours and an extraordinary intensity of light, such as Bérenger describes in the first act of *Tueur*, but as he grew older this light faded and could be recaptured only occasionally:

Quand j'étais plus jeune, j'avais des réserves lumineuses. Cela commence à décroître . . . je vais vers la boue.[3]

---

[1] In the architect's case the depiction of the town by empty space is an indication of the emptiness that his whole approach to life, to building technically perfect towns, in fact represents.

[2] This will become a major theme in *La soif et la faim*.

[3] *Entretiens*, p. 34. Ionesco's experience resembles that expressed by Wordsworth in his *Immortality Ode*:

The earth, and every common sight,
To me did seem
Apparell'd in celestial light,
The glory and the freshness of a dream.

Like Ionesco, in growing up, he had to watch his 'vision splendid' fading into 'the light of common day'.

The winter mud that made the roads to la Chapelle Anthenaise virtually impassable, awaiting the transfiguration of Spring, has remained a constant image with Ionesco. One of his basic horrors is the idea of sinking down into muck and water. His short story, *La vase*, ends with the narrator sinking into a swamp. In *Les chaises* the old couple live in a house surrounded by water and slowly sinking down into it. Jean, in *La soif et la faim*, has nightmares about *ces habitations affreuses, englouties à moitié dans l'eau, à moitié dans la terre, pleines de boue*, and this is how his home appears to him. These dreary ground-floor or semi-basement rooms, damp and ugly, and not very different from some of the places he had to live in as a child, suggest a sort of limbo region in which Ionesco's characters are forced to exist.[1] The old people of *Les chaises* put an end to their existence by jumping into the water that surrounds them. The killer disposes of most of his victims by luring them to a pond and drowning them there. Bérenger, in Act II, having left the *cité*, returns to a very dark and dank room, outside which the *concierge* can be heard complaining: *Oh là, là, c'que c'est salissant cette maison! c'est la boue!* The dilapidated state of the furniture is also used here to indicate how far removed the everyday is from a world where everything is fresh, bright and new.

Ionesco's characters are drawn downwards into the mud and the water. Living is a slow process of *enlisement*. They are oppressed by a feeling of heaviness, suggesting the burden of original sin. Guilt hangs over them—in the case of *Amédée* it is present in the striking image of an enormous corpse gradually filling the stage as it grows larger and larger. Bérenger, in his relations with the figures of authority in *Tueur*, especially with the police of the last act who seem physically huge to him, experiences ill-defined feelings of guilt. Much of his final argument is based on the assumption that mankind deserves the killer, and it is only at the very end that he manages to throw off the idea of guilt and retribution and to accept the killer's actions as gratuitous. The note will, at the very last moment, change from *pourquoi* to *que peut-on faire?*.[2]

---

[1] In *Présent passé, Passé présent*, pp. 180–181, Ionesco describes a dream in which his home appears as 'des chambres laides, humides, comme pourries'. He offers this interpretation of it: 'Je crois comprendre que nos deux chambres au sous-sol symbolisaient le tombeau.'

[2] Ionesco himself experiences feelings of guilt that it would be tempting to analyse in Freudian terms. His father did not treat his mother very well and the marriage ended in a divorce. In *Présent passé, Passé présent*, p. 29, Ionesco says: 'Je me suis senti coupable, J'ai pris sur moi la culpabilité de mon père.'

The opposition between weight and weightlessness, and the associated images of darkness or greyness and lightness or brightness, is used by Ionesco to express two basic states of consciousness.[1] After the initial feeling of euphoria in which he thinks he has recaptured the *élan* of an earlier *expérience de lumière*,[2] Bérenger for the rest of the play is weighed down more and more by physical objects. These begin to invade the stage at the end of the first act. In the second act, not only is Bérenger's room extremely cluttered, the very atmosphere is alive with words and noises of cars, radios and so forth. In the first half of Act III Bérenger is hemmed in to such an extent that even his physical movement is limited. It is only when he is to meet the killer that this feeling of oppression by external objects is lifted, but by this stage he is weighed down by an even greater metaphysical anguish which will finally drag him to his knees before the killer.

The stage lighting provides a precise commentary to the degree of evanescence or heaviness of any particular scene and thus forms an additional scenic image, ranging as it does from the brilliance of the *cité radieuse*, where no physical objects impinge on the spectator's consciousness, to the *lumière grise* of the rest of the town and the dim electric-light bulb that does no more than make visible the quantity of furniture and other objects in Bérenger's room. In the final scene it is used to create a particularly unreal effect: a setting sun remains painted on the backcloth, but the source of light is elsewhere. This uncanny effect helps the audience adapt to the different spiritual level of the meeting with the killer.

The décor, also, is more than a mere environment to the characters; it too has its rôle to play. This rôle bears a direct relationship to the state of mind of Bérenger himself at any given moment of the play. In other words, it is a décor conceived from the point of view of the central character and becomes, therefore, a projection of the unconscious. This is a basic expressionist technique, but it has probably rarely been so appropriately put into practice as in *Tueur sans gages*.

The décor underlines the labyrinth theme running through the play. The moments when Bérenger is most enclosed by physical objects and

---

[1] 'Je me sens ou bien lourd ou bien léger, ou bien trop lourd ou bien trop léger. La légèreté c'est l'évanescence euphorique qui peut devenir tragique ou douloureuse quand il y a angoisse. Quand il n'y a pas angoisse, c'est la facilité d'être.' *Entretiens*, p. 41.

[2] The *élan* is expressed by a striking dramatic image in *Le piéton de l'air*, in which Bérenger literally becomes weightless and sails up into the sky.

obstacles correspond to the maximum feeling of alienation. In the first act he describes how for years he has tried unsuccessfully to reach the *cité radieuse*. As soon as he realizes that the paradise he thinks he has found is only an illusion he is thrown back into the labyrinth and the décor becomes more clearly defined, suggesting a return to the limitations of space from which he had temporarily escaped. The labyrinth is also suggested at this point by his unsuccessful efforts to leave the stage as he wanders in circles round the architect. In the third act, once more, the labyrinth theme is strongly felt in the efforts to reach the prefecture. Here the isolation of Bérenger is indicated by the mobility of the décor which sometimes seems to close in on Bérenger like a trap and at other moments virtually disappears as it gradually changes from a clearly defined street to an indefinite no-man's land.[1]

Just as the décor has an active dramatic role, so have the furniture and properties. The most striking of these objects which seem to take on a life of their own is the briefcase. In the first act it is part of the equipment of the architect and does not attract any particular attention. In the second act, Edouard's concern to keep his briefcase safe attracts the audience's attention to it and, when the contents are revealed, it is drawn into the dramatic action. It is not a 'clue' in the ordinary sense, since it will not lead to the apprehending of the killer, but, by the time it has begun to proliferate in Act III, it is clear that it has a metaphysical significance suggesting that the killer is everywhere. L. C. Pronko has called it a brand marking all those who are indifferent to human suffering and thus associating them metaphorically with the killer.[2] In its final manifestation it increases to unnatural proportions in the hands of mère Pipe and ceases to be an innocuous object in order to become a lethal weapon used to obliterate dissent.

Ionesco's ideal of theatre is total theatre, free from all a priori conventions or limitations and able to use any means of expression that seems appropriate and will fix his images in the minds of an audience.

Tout est permis au théâtre: incarner des personnages, mais aussi matérialiser des angoisses, des présences intérieures. Il est donc non

---

[1] Ionesco suggests a revolving stage, so that Bérenger, no matter how hard he walks, will always remain in the same place. From this play on, Ionesco is to make increasingly important demands on stage machinery.

[2] *Eugène Ionesco*, Columbia University Press, 1965, p. 28. The briefcase in this play could be said to have a similar function to the transformation into Rhinoceroses in the following one.

seulement permis, mais recommandé, de faire jouer les accessoires,
faire vivre les objets, animer les décors, concrétiser les symboles.[1]

3. *The nature of reality*

Watching a play by Ionesco often leaves the spectator with a feeling that
the unnatural is natural and that the 'natural' has something strange
about it. In *Tueur*, for example, the everyday talk overheard in the street
seems far stranger than Bérenger's meeting with the killer. The break-
ing down of what he regards as artificial barriers is an important part
of Ionesco's technique. Reality in his plays has nothing to do with the
seventeenth-century concept of *vraisemblance* or the late nineteenth-
century idea of the slice of life. Reality is not limited to what can be
seen, touched or apprehended intellectually.

The distinction between the 'real' and the 'unreal' is an extremely
arbitrary and subjective one. In the twentieth century, particularly with
the work of Freud and Jung and the opening up of the realm of the
unconscious, the whole concept of reality has come to be re-evaluated.
Freud and Jung both used analysis of dreams as a method of treatment
of patients, since they felt that the 'real' self was hidden somewhere in
the unconscious and that therefore the dream might help them reach
this 'real' self. From this developed the popular idea that true reality is
to be found at the level of the unconscious rather than the conscious
and this idea served as one of the bases of the surrealist movement.
André Breton, one of the leading surrealists, saw everyday life and the
dream as two sides of reality (this is the theme of his book *Les vases
communicants*). Ionesco makes no distinction between everyday life and
the dream. Much of his work, including many of the personal experiences he relates in *Tueur*, is drawn from dream experiences, but he
assumes that such experiences have a universal and archetypal reality
that will strike a chord in his audience. At the first sight of the *cité
radieuse*, Bérenger, unable to believe his eyes, exclaims:

> C'est proprement incroyable, vous avez réalisé une chose incroyable!
> La réalité dépassant l'imagination! . . .

The technically perfect construction of the *cité* surprises him because it
seems more real than his very real vision of paradise. The architect will
then add his disquieting comment:

[1] *Notes et contre-notes*, p. 63.

Il eût été peut-être préférable que ce fût un rêve. Pour moi, cela m'est égal. Je suis fonctionnaire. Mais pour beaucoup d'autres, la réalité, *la réalité peut tourner au cauchemar.*

Everyday life can become more horrifying than any dream, as is illustrated by the whole central section of the play where Bérenger is plunged into the grey and ugly town. The concierge, mère Pipe and the brutal police are frighteningly real figures even though presented in a slightly caricatured manner, and over-furnished rooms and traffic-jams are simply two of the more claustrophobic elements of everyday life.

In watching the play it is important to realize that Ionesco is working on more than one level of reality, that these different levels may exist at one and the same time and that it is not possible to divorce psychic reality from everyday life (if one does one ends up with such figures as the architect and mère Pipe).

Ionesco is working largely in the domain of what cannot be analysed or understood logically. The *esprits logiques* who occur in the various plays, such as the logician of *Rhinocéros* or the architect, are comically inadequate figures because of their belief that everything can be explained. One of the great fallacies of Freud's approach to psychoanalysis, in Ionesco's eyes, is that it is based on the assumption that if one digs deeply enough into the unconscious one will find a fixed personality which can be fully explained. *Victimes du devoir* is a parody of Freudian methods and shows how this system fails because it presupposes the existence of an unchanging personality.

The search for definition of the 'real' self has been a favourite dramatic subject in the twentieth century from Pirandello to Sartre and Genet. This question is irrelevant to Ionesco; he merely accepts the fact that personality is not something fixed and therefore analysable. There is no reason why a character should not have one personality at one moment of the play and a different one at another. The architect/police-chief is a case in point, and Bérenger's own personality, as reflected in his language, seems to modify from scene to scene. Bérenger remembers his *expériences de lumière*, but, as far as everyday life is concerned, suffers virtually from amnesia. He cannot remember giving the keys of his room to Edouard and he has no idea of his own age. The latter detail may be important for the architect, who believes people can be classified, but it is of no importance to Bérenger's metaphysical state: age for him is expressed entirely in subjective terms depending upon whether he feels old or young. He exists in the present or, to be more precise, in a world where the idea of continuity in time no longer has any meaning. Chronology and clock time have very little significance and events are linked by their metaphysical connexion more than the order in which they occur.

The great advantage of the dream world over the everyday one is that events are no longer linked by their order in time but by a different set of principles:

> Dans les rêves il n'y a pas de progression rigoureuse. On passe d'une image à l'autre, les associations se font librement. Elles sont plus désordonnées apparemment; en réalité elles doivent suivre un certain mouvement de l'âme, de l'être, d'une façon très naturelle.[1]

The dreamlike atmosphere of a Ionesco play comes from the basing of his structure on a *mouvement de l'âme*. With the weakening of the idea of chronological time the whole concept of causality is put in question. It can no longer be said that A happens and that *consequently* B happens; but that A happens, B happens. Edouard's possession of the killer's material is, at the detective story level, mere coincidence and proves nothing. At the metaphysical level it is another matter altogether. The more fundamental 'why?' of Bérenger in the last scene can have no answer: the killings are not the result of anything.

This could be regarded as a perfect existentialist method of writing a play, since the past has no hold over the present and no situation depends on a previous one. When Bérenger comes face to face with the killer there is no motivation of the situation, no logical reason why this meeting should occur, yet the audience knows intuitively that the metaphysical progression is such that this meeting must take place when it does.

4. *A dehumanized world*

Ionesco gave his early plays contradictory labels such as *farce tragique* or *drame comique*. He sees the comic and the tragic as the human condition looked at from different points of view:

> Je n'ai jamais compris, pour ma part, la différence que l'on fait entre comique et tragique. Le comique étant l'intuition de l'absurde, il me semble plus désespérant que le tragique. Le comique n'offre pas d'issue.[2]

This attitude implies a dual approach to life: involvement in it and, at the same time, a need to look at the human condition with a degree of

---

[1] *Entretiens*, p. 129.   [2] *Notes et contre-notes*, p. 61.

objective detachment.[1] Tragedy presupposes a moral order in the universe, even if this order is not perceptible to man. Comedy, as *l'intuition de l'absurde*, or the feeling that there is no moral order or meaning, is more disturbing than tragedy. Ionesco calls *Tueur* one of his comic plays because it gives expression to *l'étonnement fondamental et primordial*. The wonder of Bérenger is the feeling of newness, of seeing things for the first time, of suddenly becoming aware of existence. This awareness involves a tacit recognition of the futility of man's attempt to impose a meaning on his existence by inventing explanations and standards of values. Bérenger, as a result of this awareness, does not seem to belong in society; his reactions are not those of the other characters; and it is this discrepancy or incongruity that provides a source of much of the comic in the play.[2]

Ionesco's approach to the comic is initially not very far removed from that of Bergson. In *Entretiens* he remarks:

> Nous connaissons tous, de Bergson, au moins une phrase célèbre : 'Le comique, c'est du mécaniqué plaqué sur du vivant'.[3]

In an early play, *La cantatrice chauve*, all the characters are dehumanized automats. They are emptied of all psychology and underneath the conventional behaviour and the clichés they use there is nothing. In existentialist terms they could be said to lead inauthentic existences, since they exist only in terms of externals which, in fact, cover an inner vacuum. At a performance of *La cantatrice* the audience laughs constantly, yet Ionesco saw the play as tragic: the laughter it elicited was for him merely an expression of the anguish he felt at the idea of the alienation of man from the self.

Ionesco's horror of the stereotype manifests itself in a number of ways, all of them suggesting how the inanimate has taken over in the world. The idea of man becoming a slave to the machine he originally invented to serve him was used by expressionist dramatists; it has become one of the acknowledged clichés of science fiction. It is perhaps the inevitable outcome of a highly organized consumer society in which

---

[1] This is one of the reasons why some of the stage directions indicate that the actor should play against the text, treating a very serious question as if it were funny.
[2] Asked what he wished to prove in *Tueur*, Ionesco replied: 'Que tout allait mal dans l'indifférence générale. Mais pour moi, cette constation rend un son comique. Je me suis attaché à ce ton comique.' (Interview given to A.S. in *Combat*, 26.2.1959.)
[3] p. 59.

spiritual and human values are constantly made to take second place to materialist ones. The *cité radieuse* is an example of the problem.[1] Technical perfection can scarcely be taken much further than artificial control of the seasons and every aspect of the material well-being of the citizens appears to have been catered for. However, it is a *cité* of closed windows and uncanny silence. As far as Bérenger is concerned, the only sign that it is inhabited is the bodies in the pond. According to Ionesco:

> C'était une cité très heureuse dans laquelle un esprit destructeur était entré. (Le mot destructeur est plus approprié que 'bien', 'mal', notions vagues).[2]

He is anxious that no moral overtones should be associated with the killer, who is to stand for all the forces at work against humanity, not merely death or evil but also the more subtle forces which work towards dehumanization. The killer's influence is felt throughout the play, not only in the more obvious mechanisms of horror, such as the sinister death of Dany, but in the way in which almost all the characters except Bérenger are dehumanized. The murders themselves are a symbolic representation of what is happening to humanity.

On one level the first act is a satire on the modern bureaucratic state whose symbol is the computer and in which individuals exist simply as cards of data to be fed into a machine. The card on Bérenger contains more information about him than he can remember himself. Victims of the killer are simply *classé* as if they were objects. The architect may be an important figure in the administration, but he too is no more than a cog in a very complicated and faceless machine: *Je ne me permets pas d'avoir des initiatives personnelles*. As Bérenger tries to describe his feelings, the architect says, as if he were a human tape-recorder: *J'enregistre, c'est mon métier*. The tyranny of the clock has also contributed to the dehumanization of the architect who, throughout the first act appears to be regulated by his watch.

The police of Act III are another aspect of the administration. Their behaviour begins to shake Bérenger's faith in it, but he continues on his way to the prefecture, convinced that when he reaches it he will meet an individual to whom he can hand over the evidence. It is this

---

[1] In *Notes et contre-notes*, p. 89, Ionesco mentions Maiakowski as an important figure in the avant-garde movement of the '20s and '30s. One wonders whether the genesis of the 'cité radieuse' owes anything to Maiakowski's play, *The bedbug*. The second half of this play depicts a totally dehumanized socialist utopia.

[2] *Entretiens*, p. 36.

part of the play that most closely resembles Kafka's novel *The castle*.[1] The administration is not something that can be pinned down or communicated with. The symbol of authority to modern man, it is simply a highly elaborate mechanism functioning on its own which, as Philippe Sénart suggests,[2] no longer merely administers but actually governs. It is significant that Bérenger can never reach the prefecture, that it remains elusive. In his mind the administration is also associated with all standards and values, moral and social. Once he realizes that these values are used only to cover nothingness he has no need to continue on the road to the prefecture.

One of the points made by the play is that any society that allows the individual human being to be treated as an object, and in which human beings permit this to happen, automatically contains the killer.

Bérenger is the man who revolts against any system that tries to turn him into an object;[3] Edouard (whom some critics have even called the alter-ego of Bérenger) is the man who accepts the system and who consequently has resigned himself to the existence of the killer: *C'est l'ordre du monde*.[4] He does not share Bérenger's anguish and is utterly indifferent to anything beyond himself and his own immediate comfort. A hot cup of tea has more reality for him than the death of Dany.

In the death of Dany, who rejects the system and loses the protection of the administration, and in the liquidation of the drunkard who dares to *penser contre son temps*, Ionesco shows what may happen to those who do not conform. Bérenger's own revolt against acceptance of the killer is a revolt against the system, but he clings to his pathetic belief in authority until the final scene, not realizing that he has rejected it in Act I with his declaration: *Ça ne peut plus aller*.

The most sinister type of dehumanization occurs, in Ionesco's

[1] Ionesco sees an affinity between his work and that of Kafka. (See *Entretiens*, p. 44.)

[2] *Ionesco*, ch. IV. Sénart compares the administration of *Tueur* with the short play *Le maître*. In this the Master is the great symbol of authority. He is given an important build-up, then, at the end, when he is about to speak, he takes off his hat and reveals that he is headless.

[3] A passage from *Présent passé, Passé présent*, p. 25, is indicative of Ionesco's attitude to the state and authority: 'Mon père ne fut pas un opportuniste conscient, il croyait à l'autorité. Il respectait l'État. Il croyait à l'État quel qu'il fût. Je n'aimais pas l'autorité, je détestais l'État, je ne croyais pas à l'État quel qu'il fût.'

[4] During a lull in the scene Bérenger is struck by the thought that there may be a link between the crimes in the 'cité radieuse' and the origins of Edouard's illness.

opinion, in the totalitarian state. He lived through the fascist nightmare in the Rumania of the thirties and watched all his friends turn into 'rhinoceroses'.[1] In the all-submerging tide of fascism he endeavoured to cling to the one unquestionable value, the consciousness of the individual self.[2] *Tueur* and *Rhinocéros* are closely linked, the one at a metaphysical level, the other at an overtly political one. They both show the individual consciousness struggling against dehumanization.

All political movements are suspect to Ionesco, whether of the right or the left. The individual, when he submerges himself in the group, ceases to think and react as an individual and takes on the identity of the group. Ionesco classifies as 'petit-bourgeois' anyone who accepts ready-made ideas:

> Le petit-bourgeois n'est pour moi que l'homme des slogans, ne pensant plus par lui-même, mais répétant les vérités toutes faites, et par cela mortes, que d'autres lui ont imposées. Bref, le petit-bourgeois, c'est l'homme dirigé.[3]

Political ideology is simply an insidious and dangerous form of dehumanization: it pretends to want to change everything, but all it really does is to substitute one system for another. This is the significance of the mère Pipe scenes. In the first of these the crowd consists of people reduced to the level of animals. The goose has in French the same association with stupidity as in English (*bête comme une oie*) and therefore carries the idea of man deprived of his most distinguishing human feature, his power of reason. Mère Pipe represents a similar type of stupidity to the concierge. In the case of the latter this could mean only individual discomfort to the tenants, but in a political context this stupidity becomes manifestly dangerous. The last sight the audience has of mère Pipe is of her behaving like a puppet. She has an external similarity to a human being, but is only a hideous caricature of one.

In all this process of dehumanization the spoken word plays an extremely active role.[4] At no point in the play is language a vehicle for

---

[1] Ionesco uses this term in *Présent passé, Passé présent* to describe the spread of fascism.

[2] 'J'ai plutôt tendance à croire que c'est le moi qui existe plutôt que le reste.' *Présent passé, Passé présent* p. 80.

[3] *Notes et contre-notes*, p. 109.

[4] Claude Abastado, *Ionesco*, p. 133, analyses the play as a 'tragédie du langage': 'Dans la suite des six "tableaux", la réalité apparaît successivement merveilleuse, sordide, ridicule, angoissante, fantastique et tragique. Le mouvement dramatique naît de ces changements de tonalité; il est soutenu par la déchéance des personnages et la dégradation du langage.'

communication, except at the most superficial level. Bérenger cannot break through the indifference of the other characters, nor can he make contact with the killer. The overall movement of the play runs from his initial exuberance as he tries to put into words his feeling of wonder to the final faltering before the killer as the uselessness of words as a method of communication becomes obvious to him.

Serge Doubrowsky has remarked that in Ionesco's plays men, instead of using language for thinking with, allow language to think for them.[1] The words and set phrases flow out, but, with the exception of Bérenger (and even he falls back on clichés in the last act), there is seldom a feeling that these words express anything more than automatic responses. This is indicated by the political, professional or social jargon which Ionesco gives to his characters. The Architect can only use and understand the vocabulary of the technocrat and the civil servant and comes out with such phrases as: *Je suis appointé pour faire ce travail, c'est dans mes attributions normales, c'est ma spécialité.* The opening of Act II, which repays close study, is a splendid demonstration of how words can virtually become objects and, instead of giving meaning, suggest that all links between the word and the thought it is meant to represent have disappeared. This scene develops from the string of banalities put into the mouth of the concierge to a climax in which there are so many voices that it becomes almost impossible to assign words to any particular speaker.[2] In Act III the political language of mère Pipe is made up of a number of phrases collected from the speeches and writings of marxist and other extreme left-wing groups. The collective impact is, of course, nonsense and it could be funny, were it not for its uncomfortable nearness to the truth. The individual voices of Act II uttering banalities and absurdities are relatively harmless, but when these voices become a single voice, chanting militaristic slogans, the word has moved from being merely oppressive to being aggressive.

It is in the context of words which are no longer capable of protecting the self against meaningless that Bérenger has to struggle. This is made abundantly clear to the audience in the first two and a half acts and Bérenger will have to face up to it in the final scene. The important

[1] 'Ionesco and the comedy of the absurd', *Yale French Studies*, no 23, summer 1959.
[2] The development of this scene could be compared with *La cantatrice chauve* which begins with a conversion of extreme banality (based on the phrases of a textbook for learning English) and reaches a climax when all the characters rush round the stage shouting random words and phrases.

point about this scene is that he is able to recognize the emptiness of the clichés and so-called values he is using. It is this awareness that saves him from the dehumanization that has overtaken the rest of society. Although it may not help him personally, he has come through the play with his human essence intact. If there is any optimistic message to the play it is in the persistence of humanity in spite of everything. *Que peut-on faire?* may not sound a very hopeful final line, but Bérenger remains human to the last—and there will be other Bérengers.

5. *Dramatic structure*

Ionesco has remarked ironically that what has been written about him is far more considerable than what he has written himself. He argues that diversity of criteria often add to the confusion that surrounds the work of an author and that the criteria for judging a work of art should be dictated by the work itself and not by any external standard of values.[1] He likes to compare his plays to abstract painting. The appeal of an abstract painting depends on the dynamic relationship between shapes and colours and on the rhythms that result from these relationships. Ionesco constructs his plays not in terms of story but as a series of scenes varying in mood, tone and pace and generating rhythms which have a direct affective impact on the audience. Dynamic tension is created by the constant juxtaposition of opposites:

> Tragique et farce, prosaïsme et poétique, réalisme et fantastique, quotidien et insolite, voilà peut-être les principes contradictoires (il n'y a de théâtre que s'il y a des antagonismes) qui constituent les bases d'une construction théâtrale possible.[2]

On the strictly external level there can be very little conflict in Ionesco's plays, since there is very little dialogue: the characters talk at rather than to one another. Whatever else words may be, they are not primarily a means of communication. Even the final meeting with the killer is, in one sense, a non-conflict. However, the fundamentally opposed principles which Ionesco depicts create a state of tension and it is out of this tension that the drama emerges.

Ionesco has dispensed with the traditional idea of plot, but his plays are in no sense formless. *Tueur* looks deceptively as if it is going to tell a story, but as the play develops it becomes abundantly clear that the

---

[1] See the essay 'L'auteur et ses problèmes' in *Notes et contre-notes*.
[2] *Notes et contre-notes*, p. 62.

central interest is the psycho-drama and that what matters is not the finding of the killer but the progression of Bérenger towards a full awareness of his metaphysical condition. *Tueur* could be described as:

> La construction d'un récit transposé scéniquement; mais aussi une progression dramatique, une prolifération, un piège qui se resserre sur quelqu'un.[1]

The success of the play depends on the close relationship between the theme and the form Ionesco gives it.

The importance of the formal structure makes it tempting to use musical analogies in examining the play. The first act divides into four main movements, each with its own pace, rhythm, tone and emotional colouring. Bérenger's entrance is preceded by a brief prologue, the 'alienation theme', suggesting the grey and wintry dreariness of the town. As soon as this image has been established it is followed by an image of brightness, light and calm. Thus, before the play even starts, Ionesco has given the audience both sides of Bérenger's emotional response to life.

The first movement is one of euphoria and lyricism, interrupted only by the architect who, at this point, does little more than counterpoint Bérenger's monologue. The first appearance of the pond causes a change in the rhythm as the torrent of Bérenger's eloquence dries up and the first real note of uneasiness creeps in. After this brief interlude, Bérenger, in his 'confession' becomes even more lyrical, reaching a peak with poetic images such as the four suns. The audience becomes increasingly aware of the gulf that separates Bérenger and the architect, who now gives scarcely any attention to Bérenger. The introduction of physical objects (the chairs and the table) accentuates the contrast between the metaphysical state of Bérenger and the earthbound nature of the architect. Ionesco here uses one of his favourite techniques to indicate lack of communication, the parallel monologue.

The entrance of Dany introduces the second movement which has a rapid tempo. The contrapuntal technique is now developed for three voices, the main melody being given to the architect and Dany, and a sort of descant to Bérenger. Occasionally the lines cross as Bérenger thinks that some of Dany's replies to the architect are meant for him.

---

[1] *Entretiens*, p. 102. This description refers to *Rhinocéros*, but seems equally valid for *Tueur*. Jacques Lemarchand in *Biblio*, oct. 1963, describes the basic structure of most of Ionesco's plays as 'une montée vers le délire.'

After Dany's departure the atmosphere changes and the third movement brings the latent feeling of anxiety to the fore. This new mood is
introduced by the sudden intrusion of the stone. As the architect begins
to explain the situation, Bérenger's 'light' fades (*Vous assombrissez le
paysage*) and his feeling of alienation grows on him again. The pond
theme, lightly suggested in the second movement, now asserts itself and
provides a striking visual image of the reality of the presence of the
killer. There is a sense of urgency created by an increase in pace and in
violence of expression. The contrast is now between the extreme agitation of Bérenger and the phlegmatic calm of the architect.

The act has moved from illusion to disillusion and in the final movement there is a total return to the everyday, suggested on the one hand
by the return of the initial grey light and on the other by a sound background evoking street noises and by the gradual appearance of the street
scene. The roles of Bérenger and the architect (now the police-chief)
are reversed. Once out of the *cité* the architect is only too ready to talk,
whilst Bérenger is almost tongue-tied. The tension relaxes with the
comic interlude of the *patron*, but returns almost immediately with the
off-stage drama of the death of Dany, created entirely by means of sound
effects. The grief and lamentation of Bérenger bring a rapid climax to
the act. He expresses his revolt: *Ça ne peut plus aller! . . . Il faut faire
quelque chose!* and departs. The theme of the everyday is then taken up
ironically as the architect and the patron finish the beaujolais and
sandwiches. Act II, with its naturalistic setting and banality of conversation plunges still deeper into the *quotidien*. The first half of the act,
with the stage in darkness, focuses the attention on the sounds of everyday life and in particular on conversations overheard in the street.
Building up gradually from an almost naturalistic type of conversation
to a complicated orchestration of voices, Ionesco, in a series of verbal
sketches, gives a powerful demonstration of the *tragédie du langage*. The
dominant figure is the concierge, who talks for the sake of talking (*Ça
passe le temps.*). The scene begins and ends with her meaningless song
and this cyclical form in itself indicates how this scene, made up of
words, leads precisely nowhere.[1] Within the scene the cyclical pattern is
repeated with variations in the different sketches that make it up. The
most formalized examples of this are the little rondos given to the two
old men. The scene between the concierge and Monsieur Lelard is a
simple example of banal and trivial conversation. The scene with the

[1] Her second song, 'On n'avance pas . . .' is an amusing comment on this.

second man goes round in a slightly wider circle. This time the sounds and associations of words seem to take over and, at the same time, the competition offered by background noises forces the insignificant to be pronounced as if it were of maximum significance. The counterpoint technique of the first act is carried a stage further with the interweaving of the altercation between the motorist and the lorry driver in the concierge's conversation. The finale involves so many voices that the words break loose completely from their original context and the tide of meaninglessness is only quelled by a convenient fog.

The short scenes with the tramp and the postman are largely functional, linking the two parts of the act and changing the direction from cyclical to forward moving.

With Bérenger's entrance the light is turned on, but this light merely reveals a drab and over-furnished room and the unexpected figure of Edouard, clad in mourning. The first part of the scene recalls the scenes between Bérenger and the architect. It could almost be called the same melody in a different key. The movement is stilted and hesitant, as if under a cloud caused by the manifest ill-health of Edouard and the gloom of Bérenger. The tension increases as Bérenger grows indignant at Edouard's selfish indifference, but Bérenger himself is noticeably less articulate than in Act I. As a climax to the scene, which has become rather noisy, Edouard has an attack of coughing. The physical movement, hitherto fairly limited, now becomes important as Bérenger, ceasing to be aggressive, busies himself with making Edouard comfortable. As the tension relaxes there is a slight lull preceding the major piece of business of the act, the opening of the briefcase and the spreading of its contents all over the stage. The proliferation of objects here echoes the proliferation of words earlier in the act. With the discovery of the 'clues' Bérenger's excitement reaches a peak, but it is offset by the calm of Edouard. The act ends like Act I with a rush and is rounded off by the indignant figure of the concierge grumbling outside the window.

Like the previous acts, Act III also divides into two contrasting parts, the first involving a relatively large number of characters in the limited area of the street, the second Bérenger alone and, subsequently, with the killer. The opening of the act is swift and marked by Bérenger's concern with time,—not so much clock time as the urgency of reaching the prefecture before it closes. The subjectivity of notions of time is suggested by Edouard's reply to Bérenger's *l'heure avance: C'est la même heure que tout à l'heure.* Ionesco uses the counterpoint technique once more, but on a much larger scale. There are virtually two parallel scenes. In the foreground Bérenger pursues briefcases; in the background mère Pipe holds her meeting. Thus Ionesco manages to carry on simultaneously both the development of a theme (the dehumanizing effect of political ideology) and the personal drama of Bérenger. The two scenes are separate but also closely connected, as is made clear by the readiness of Edouard to listen to mère Pipe and by the fate of the drunkard who dares express opposition to her. As mère Pipe and her 'geese' march out and Edouard drops out of the action, a new obstacle crops up and once more the forward movement of Bérenger is halted. The efforts of the police to control the traffic-jam lead to a climax of noise and disorder. Ionesco treats the scene with rigorous formalism, as if it were a quartet conducted by the second policeman. This treatment allows the audience to see mechanical rhythms taking over completely (even Bérenger is so bemused that he too joins in), but failing to impose any order on the chaos that the traffic represents. When the police finally turn their attention to Bérenger they show as little comprehension or interest as the architect or Edouard. This is a brief scene, its function is to show yet another aspect of the universal indifference that Bérenger meets. It is far more brutal than the politeness of the architect or the self-centredness of Edouard and it anticipates the meeting with the killer by showing that Bérenger is completely alone.

The long final scene, almost a play in itself, commences with the clearing of obstacles. Bérenger is left alone with his own thoughts and as his anxiety mounts his determination to reach the prefecture wanes. It is at this moment of weakening (not so very far from the resignation of Edouard) that the killer appears. This weakening is accompanied by a relaxation of the time scheme. The act had opened with the positive haste of Bérenger to reach the prefecture, now he wonders whether he is too late and finally puts off going until the next day *puisqu'il est trop tard*. At this point he discovers that his watch has stopped: he is now out of time. The stopping of his watch indicates a new phase of the action, a move into the domain of the timeless and onto a purely metaphysical plane. Just as time has stopped, so has Bérenger's forward movement, and his whole world consists now of the lit-up area, surrounded by darkness, in which he is standing. The final scene is not merely a confrontation of Bérenger with the killer, it is a confrontation with himself. The greater part of the scene, comparable in many ways to the 'recognition' scene in the last act of a tragedy, consists of the gradual revelation to Bérenger of the uselessness of all the accepted values which he, as a member of society, has always accepted unthinkingly and used, consciously or otherwise, as a protective barrier between himself and a full realization of the human condition and its implications. Hitherto the emptiness of the speech of the other characters has been pinpointed; now it is Bérenger's turn to suffer the same treatment as again and again he falls back on the truism and the cliché to defend himself against the encroachment of meaninglessness. At first he tries to conceal his fear with a certain bravado. Then he changes tactics, seeing that threats are ineffectual, and tries to reason with the killer. As he endeavours to understand the killer's motivation he is moving away from his initial position of revolt and towards a position of compromise and acceptance. In other words, he is beginning to follow the same path as Edouard. Unlike Edouard, however, he is always conscious of the absurdity of what he is saying and the whole of his speech is marked by sentences begun with a relative degree of confidence and then left unfinished as the hollowness of the words sinks in. It is this realization that hastens the disintegration of Bérenger. His speech is punctuated with attempts to draw a reply from the killer. *N'est-ce pas?*, *Répondez!* and such phrases usually follow his attempts to place words in the killer's mouth. As his panic grows he appeals desperately, and not very hopefully, to the concept of human brotherhood, swings back to threats, humbles himself (a pre-figuration of the end) and returns to the rational approach, working once more on the premiss that all men are brothers and that therefore there must be some common link. He sees this link as being *le langage de la raison* and his sudden question, *Savez-vous le français?*, is an indication that he still believes in language and has not yet grasped the fact that it is no defence against the meaningless. A critical point has now been reached as Bérenger begins to admit his own doubts as to the meaningfulness of life. His defeat is visually made evident from the moment he goes down on his knees, a position he will keep until the end and one which reverses the physical superiority he had in relation to the killer at the beginning of the scene. His final appeal is more clear-sighted: *Vous tuez pour rien, épargnez pour rien*, but it still presupposes the possibility of dialogue or communication with what by definition cannot be communicated with. Bérenger has now talked himself out of all the arguments which, in his heart of hearts, he knows have no value. One thing alone remains intact as he faces the killer's knife, his humanity. This enables him to produce a final, and eloquent, spurt of resistance before he realises the futility of the gesture. *Que peut-on faire?* is a derisive echo of the *Il faut faire quelque chose* of Act I.[1]

6. *'Tueur sans gages' and the stage*

The play was finished in July, 1957, and Ionesco hoped that Jean-Louis Barrault would produce it. For various reasons Barrault was not able to do so.[2] Louis Malle was also interested in the play but his activities in the cinema forced him to abandon the idea of staging it.[3] Finally *Tueur* was produced in February, 1959,[4] at the Théâtre Récamier. This 600-seat theatre, recently converted from a cinema, had a stage which, if larger than those on which most of his previous plays had been produced, was scarcely adequate in terms of either space or machinery for the demands made by Ionesco. These problems were largely overcome by the ingenuity of the designer Jacques Noël, who has worked with Ionesco on a number of productions ranging from *La cantatrice chauve* at the minute Théâtre des Noctambules to *La soif et la faim* at the Comédie-Française.[5] His great quality as a designer for Ionesco is his understanding of the very close relationship between the environment perceived subjectively by the characters and the themes of the play itself.

This production was not by a regular company. The cast was assembled by the director José Quaglio and included Jean-Marie Serreau, an actor whose name has been associated with the avant-garde theatre

---

[1] An interesting aspect of the last scene is its strongly ritual quality, in which it has some resemblance to *Le roi se meurt*. Bérenger is like a victim that has to be carefully prepared for sacrifice and the scene takes the form of the purification of this victim. Subconsciously he is aware of this but makes every effort to avoid facing up to the fact. At one point in the scene he even offers to find substitutes ('Si un Christ ne vous suffit pas, je m'engage solennellement à faire monter sur des calvaires . . . des bataillons de sauveurs.'). He must face the killer completely alone, stripped of everything that is external to the self. He is not pushed into the pond like the other victims. The last image of Bérenger is of a kneeling figure with the knife poised above him. It is a ritual slaying, not a murder.

[2] The first Ionesco play staged by Barrault was *Rhinocéros* at the Odéon in 1960.

[3] These details are given by Ionesco in an interview with A.S. in *Combat*, 26.2.1959.

[4]. First public performance, March 2nd.

[5] Noël also designed the sets for *Le roi se meurt* for the very ill-equipped stage of the Alliance Française in 1962. This play poses some of the same technical problems as *Tueur*, with a set that has to be transformed before the eyes of the audience.

since the 'fifties and who had already produced *Amédée*;[1] Nicolas Bataille, responsible for the first production of *La cantatrice*, in which he had also played Monsieur Martin; and Claude Nicot. Nicot, who played Bérenger, was a surprising name to find on the programme, since this actor had already made a certain reputation as a comic actor in the boulevard theatre (the Parisian equivalent of the West End). His readiness to play the part is an indication of how far Ionesco's reputation had spread since 1950. Small of stature and with a very innocent face, Nicot was well-cast to express the comic naïvety of Bérenger. At the same time he revealed a depth of sensitivity such as was needed to put over the anguish felt by the character. When the production was revived at the Théâtre des Mathurins in 1960 Nicot was unable to play the part and Quaglio took it.[2] Nicot played it once more in 1967 for an open-air production at the Hotel Sully during the Festival du Marais.[3] This time the director was Jacques Mauclair, one of Ionesco's favourite collaborators and the director of *Victimes du devoir* and *Le roi se meurt* (in which he also played Bérenger). In 1959 various critics, while generally enthusiastic about Quaglio's production, had expressed some reserve about his handling of the rhythms of the play. Mauclair would seem to have had a greater intuitive understanding of his author and to have handled the rhythmic structure of the play more deftly :

> La mise en scène de Jacques Mauclair sert admirablement le texte. Elle est rigoureuse, précise, met aussi bien en valeur les effets comiques, le rythme enjoué et vif de certaines parties que le flou poétique, le lyrisme, le chant brisé d'une œuvre dont le thème profond est un long cri d'angoisse.[4]

Even in this production the critics spoke of certain *longueurs*, particularly with reference to the opening of the third act which some felt was irrelevant and slowed down the action. Both these objections seem answerable: the scene is thematically and dramatically relevant and any feeling of slowness it generates should contrast with Bérenger's sense of urgency and help the audience to feel his frustration. In his overall

---

[1] He was also to direct the first production of *La soif et la faim*.

[2] 'Claude Nicot s'accrochait à ses arguments comme à des bouées de sauvetage. Quaglio semble leur donner plus de valeur qu'ils n'en ont. Cela dit, la pièce gagne en force ce qu'elle perd en ironie.' (Georges Lerminier, *Parisien Libéré*, 13.4.1960.)

[3] Also from the original production were Florence Blat (the concierge and mère Pipe) and Jacques Saudray (the killer).

[4] Pierre Kyria in *Combat*, 3.6.1967.

dramatic structures Ionesco admittedly does believe in giving some scenes a slower pace and a greater length than is acceptable to many modern audiences, but when such scenes are regarded in the context of the work as a whole they do not usually appear unnecessarily long-winded, despite the demands they may make on the audience's concentration.

Jacques Noël modified his original designs for the Hôtel Sully production. He now had a much larger platform at his disposal and this was backed by arches giving access to it. Above these arches was a row of windows which he incorporated as an upper acting area for the third act (mère Pipe gave her political speech from one of these windows). In 1959 the street in the last act had been suggested by a straightforward italianate perspective setting.[1] In 1967 the façade of the Hotel Sully was used in a similar way to the *frons scenæ* of the Teatro Olympico, a miniature and compressed perspective setting being placed behind the centre arch. A feeling of enclosure on the vast empty stage was created by screens coming forward from either side of this arch and splaying out towards the front of the stage. Lighting was of even greater importance in this production than in the original one. At the end of the first act it was used to reduce the stage area when Bérenger went into the café. Similarly, the enclosed effect of the second act was created by leaving most of the stage in darkness and simply lighting a very limited area containing Bérenger's furniture.

In practice the 1967 production received a staging similar to many of Jean Vilar's productions in the open air at the Palace of the Popes in Avignon. Vilar's productions, which Ionesco admired, depended almost exclusively on lighting to create atmosphere and used a minimum amount of scenery. Such a style of production seems to be what *Tueur sans gages* demands.

The play was also produced by the Centre Dramatique de l'Ouest (Rennes) in 1965. It would seem that this production placed slightly more emphasis on the sociological than on the metaphysical aspect of it.

The New York production of 1960 is an indication that Ionesco could by this stage of his career be called an international dramatist. Since *Tueur* most of Ionesco's major plays have received their first production outside France.

[1] A design for this scene is reproduced by Claude Abastado, Op. cit., p. 196.

TUEUR SANS GAGES

NOTE ON THE TEXT OF THIS EDITION

The text used for this edition is based on that of the revised Gallimard edition of 1967. The list of characters and 'indications scéniques' (p. 40), however, are taken from the original edition which is slightly more explicit.

PERSONNAGES, VOIX, SILHOUETTES
DE TUEUR SANS GAGES
(par ordre d'entrée en scène)

BÉRENGER, âge moyen, citoyen moyen.

L'ARCHITECTE, âge sans âge, âge de fonctionnaire.

DANY, jeune dactylo, pin-up conventionelle.

LE CLOCHARD, ivre.

LE PATRON DU BISTROT, âge moyen, gros, brun, poilu.

ÉDOUARD, 35 ans, maigre, fiévreux, sombrement vêtu, en deuil.

LA CONCIERGE (précédée de LA VOIX DE LA CONCIERGE), type de concierge.

VOIX DU CHIEN DE LA CONCIERGE.

VOIX D'UN HOMME.

VOIX D'UN SECOND HOMME.

VOIX D'UN CAMIONNEUR.

VOIX D'UN CHAUFFEUR.

PREMIER VIEILLARD.

DEUXIÈME VIEILLARD.

L'ÉPICIER.

VOIX DU MAÎTRE D'ÉCOLE.

PREMIÈRE VOIX VENANT DE LA RUE.

DEUXIÈME VOIX (GROSSE) VENANT DE LA RUE.

TROISIÈME VOIX (FLUETTE) VENANT DE LA RUE.

QUATRIÈME VOIX VENANT DE LA RUE.

PREMIÈRE VOIX VENANT D'EN BAS.

DEUXIÈME VOIX VENANT D'EN BAS.

VOIX DE DROITE.

VOIX D'EN HAUT.

VOIX DE GAUCHE.

DEUXIÈME VOIX DE GAUCHE.

VOIX D'UNE FEMME, DANS L'ENTRÉE.

SILHOUETTE D'UN MOTOCYCLISTE SUR SA MOTOCYCLETTE.

Voix du Facteur, précédant le Facteur lui-même (si on veut).
La mère Pipe.
Les Voix de la foule.
L'Homme ivre, en habit et haut de forme.
Le Vieux Monsieur a barbiche blanche.
Premier Sergent de ville.
Un Jeune Soldat portant un bouquet de fleurs.
Deuxième Sergent de ville.
L'Écho.
Le Tueur.

*
* *

Indications scéniques

Plusieurs de ces rôles peuvent être joués par de mêmes acteurs. D'autre part, les voix du deuxième acte ne s'entendront, sans doute, pas toutes. Dans la première partie du deuxième acte, on pourra effectuer toutes les coupures voulues. Cela dépend de l'efficacité de ces voix, des anecdotes absurdes. Le metteur en scène fera son choix. Toutefois, il devra utiliser, si possible, les moyens de la stéréophonie. Il est préférable aussi, dans ce même deuxième acte, de faire apparaître le plus grand nombre possible de silhouettes, de l'autre côté de la fenêtre, comme sur une scène derrière la scène. Cependant, après le lever du rideau pour le deuxième acte, des paroles, des bruits autour d'une scène vide seront, au moins quelques instants, indispensables, afin de prolonger, d'augmenter en quelque sorte l'atmosphère, visuelle et sonore, de la rue, de la ville qui renaît à la fin du premier acte, qui s'estompe après l'arrivée de Bérenger, qui s'impose, de nouveau, avec violence, au début du troisième acte pour s'éloigner définitivement à la fin.

Quelques coupures peuvent également être pratiquées au premier acte: on devra tenir compte de ce que le comédien jouant ce rôle peut «faire passer», selon sa puissance et selon sa nature.

Le discours de Bérenger au Tueur, à la fin de la pièce, est, en soi, tout un petit acte. Le texte doit être soutenu par un jeu manifestant la désarticulation progressive de Bérenger, sa décomposition, la viduité de sa propre morale plutôt banale qui se dégonfle comme un ballon. En fait, Bérenger trouve en lui-même, malgré lui-même, contre lui-même, des arguments en faveur du Tueur.

ACTE PREMIER

Pas de décor. Scène vide au lever du rideau.

Sur le plateau il n'y aura plus tard, à gauche, que deux chaises de jardin et une table que l'Architecte apportera lui-même. Elles devront se trouver à proximité dans les coulisses.

Au premier acte, l'ambiance sera donnée, uniquement, par la lumière. Au début, pendant que la scène est encore vide, la lumière est grise comme celle d'un jour de novembre ou de février l'après-midi, lorsque le ciel est couvert. Bruit léger du vent; peut-être verra-t-on une feuille morte traverser le plateau, en voltigeant. Dans le lointain, bruit d'un tramway, silhouettes confuses des maisons qui s'évanouissent lorsque, «soudain», la scène s'éclaire fortement: c'est une lumière très forte, très blanche; il y a cette lumière blanche, il y a aussi le bleu du ciel éclatant et dense. Ainsi, après la grisaille, l'éclairage doit jouer sur ce blanc et ce bleu, constituant les seuls éléments de ce décor de lumière. Les bruits du tramway, du vent ou de la pluie auront cessé à l'instant même où se sera produit le changement d'éclairage. Le bleu, le blanc, le silence, la scène vide doivent créer une impression de calme étrange. Pour cela il faut que l'on donne le temps aux spectateurs de le ressentir. Ce n'est qu'au bout d'une bonne minute que les personnages doivent surgir sur la scène.

Bérenger entre le premier par la gauche, à vive allure, s'arrête au milieu du plateau, se retourne d'un mouvement rapide sur place, vers la gauche, par où arrive, plus posément, l'Architecte, qui le suit. Bérenger, à ce moment, porte un pardessus gris, un chapeau, un foulard. L'Architecte est en veston léger, chemise au col ouvert, pantalons clairs, pas de chapeau; il a, sous le bras, un porte-documents, assez lourd et épais, semblable à la serviette d'Édouard au deuxième acte.

Bérenger. . . . Inouï! Inouï! C'est extraordinaire! Pour moi
cela tient du miracle . . . *(Vague geste de protestation de
l'Architecte.)* Du miracle ou, si vous préférez, car, sans
doute, êtes-vous un esprit laïque, cela tient du merveilleux! Je vous félicite chaleureusement, Monsieur l'Architecte, c'est merveilleux, merveilleux, merveilleux! . . .
Vraiment! . . .

L'Architecte. Oh . . . Cher Monsieur . . .

Bérenger. Si, si . . . Je tiens à vous féliciter. C'est proprement
incroyable, vous avez réalisé une chose incroyable! La   10
réalité dépassant l'imagination! . . .

L'Architecte. Je suis appointé pour faire ce travail, c'est dans
mes attributions normales, c'est ma spécialité.

Bérenger. Bien sûr, bien sûr, Monsieur l'Architecte, c'est
entendu, vous êtes un technicien doublé d'un fonctionnaire consciencieux . . . Pourtant, cela n'explique pas
tout *(Regardant autour de lui et fixant son regard sur des
endroits précis du plateau.)* Comme c'est beau, quel magnifique gazon, ce parterre fleuri . . . Ah! ces fleurs appé-
tissantes comme des légumes, ces légumes parfumés   20
comme des fleurs . . . et quel ciel bleu, quel extraordinaire ciel bleu . . . Comme il fait bon! *(A l'Architecte.)*
Dans toutes les villes du monde, toutes les villes d'une
certaine importance, il doit y avoir, certainement, des
fonctionnaires, des architectes municipaux, comme vous,
des architectes en chef qui ont vos attributions, qui sont
salariés comme vous. Ils sont loin d'aboutir à de pareils
résultats. *(Il montre de la main.)* Êtes-vous bien payé? Je
m'excuse, je suis peut-être indiscret . . .

L'Architecte. Ne vous excusez pas, je vous en prie . . . Je suis   30
payé moyennement, comme prévu au budget. C'est cor-
rect. Ça peut aller.

Bérenger. Mais votre ingéniosité devrait être payée à prix d'or.
Et encore, faudrait-il de l'or d'avant 1914 . . . Du vrai.

L'Architecte (geste de modeste protestation). Oh . . .

Bérenger. Si, si . . . ne protestez pas, Monsieur l'Architecte de la ville ... De l'or véritable ... Celui d'aujourd-hui, n'est-ce pas, c'est de l'or dévalorisé, comme tant de choses par les temps qui courent, de l'or en papier ...

L'Architecte. Votre surprise, votre ...   40

Bérenger. Dites plutôt mon admiration, mon enthousiasme!

L'Architecte. Si vous voulez. Votre enthousiasme, en effet, me touche. Je vous en remercie, cher Monsieur ... Bérenger.

(L'Architecte s'incline pour remercier, après avoir cherché dans sa poche une fiche où le nom de Bérenger était sans doute inscrit, car, tout en s'inclinant, il lit sur la fiche le nom qu'il prononce.)

Bérenger. Sincèrement enthousiasmé, sincèrement, je vous le jure ce n'est pas dans mon caractère de faire des compli-   50
ments.

L'Architecte (cérémonieusement mais détaché). J'en suis très, très, très flatté!

Bérenger. C'est magnifique! *(Il regarde tout autour.)* Voyez-vous, on m'avait pourtant bien dit, je ne l'avais pas cru ... ou plutôt on ne me l'avait pas dit, mais je le savais, je savais qu'il existait dans notre ville sombre, au milieu de ses quartiers de deuil, de poussière, de boue, ce beau quartier clair, cet arrondissement hors classe, avec des rues ensoleillées, des avenues ruisselantes de   60
lumière ... cette cité radieuse dans la cité, que vous avez construite ...

L'Architecte. C'est un noyau qui doit, qui devait plutôt, en principe, s'élargir. J'en ai fait les plans sur ordre de la Municipalité. Je ne me permets pas d'avoir des initiatives personnelles ...

Bérenger (continuant son monologue). J'y croyais sans y croire. Je le savais sans le savoir! J'avais peur d'espérer ... espérer, ce n'est plus un mot français, ni turc, ni polonais ... belge, peut-être ... et encore ...   70

L'Architecte. Je comprends, je comprends!

Bérenger. Et pourtant, m'y voici. La réalité de votre cité radieuse est indiscutable. On la touche du doigt. Cette clarté bleue a l'air tout à fait naturelle . . . du bleu, du vert . . . Oh, ce gazon, ces fleurs roses . . .

L'Architecte. Oui, ces fleurs roses sont bien des roses.

Bérenger. Des roses véritables? *(Il se promène sur le plateau, montre du doigt, sent les fleurs, etc.)* Encore du bleu, encore de la verdure . . . les couleurs de la joie. Et quel calme, quel calme!   80

L'Architecte. C'est la règle dans ce coin, cher Monsieur . . . *(il lit sur la fiche)* . . . Bérenger. C'est calculé, c'est fait exprès. Rien ne devait être laissé au hasard dans ce quartier, le temps y est toujours beau . . . Aussi, les terrains se vendent-ils . . . ou plutôt . . . se vendaient-ils très cher . . . Les villas sont construites avec les meilleurs matériaux . . . C'est solide, soigneusement fait.

Bérenger. Il ne doit jamais pleuvoir dans les maisons.

L'Architecte. Absolument pas! C'est la moindre des choses. Il pleut donc chez vous?   90

Bérenger. Oui, hélas, Monsieur l'Architecte!

L'Architecte. Cela ne devrait pas se produire, pas même dans votre quartier. Je vais y envoyer un contremaître.

Bérenger. C'est-à-dire, il n'y pleut pas réellement, peut-être. C'est une façon de parler. Il y a une telle humidité, c'est comme s'il y pleuvait.

L'Architecte. Je vois, c'est moral. De toute façon, ici, dans ce quartier, il ne pleut jamais. Pourtant, tous les murs des habitations que vous voyez, tous les toits sont étanches, par habitude, par acquit de conscience. C'est inutile, 100 mais c'est pour respecter une vieille tradition.

Bérenger. Il ne pleut jamais, dites-vous? Et cette végétation, ce gazon? Et, dans les arbres, pas une feuille sèche, dans les jardins, pas une fleur fatiguée!

L'Architecte. C'est arrosé par en dessous.

Bérenger. Merveille de la technique! Excusez la stupéfaction d'un profane comme moi . . .

(Bérenger éponge, avec un mouchoir, la sueur de son front.)

L'Architecte. Enlevez donc votre pardessus, mettez-le sur votre bras, vous avez trop chaud.

Bérenger. En effet, oui . . . je n'ai plus froid du tout . . . 110 Merci, merci pour votre conseil. *(Il enlève son pardessus, le met sous son bras; il garde son chapeau sur la tête; tout en faisant ces gestes, il regarde en haut.)* Les feuilles des arbres sont assez grandes pour laisser filtrer la lumière, pas trop pour ne pas assombrir les façades. C'est tout de même étonnant quand on pense que dans tout le reste de la ville le ciel est gris comme les cheveux d'une vieille femme, qu'il y a de la neige sale aux bords des trottoirs, qu'il y vente. Ce matin, j'ai eu très froid au réveil. J'étais glacé. Les radiateurs fonctionnent tellement mal dans l'im- 120 meuble que j'habite, surtout au rez-de-chaussée. Ça fonctionne plus mal encore quand on ne fait pas le feu . . . C'est pour vous dire que . . .

(On entend, venant de la poche de l'Architecte, une sonnerie de téléphone. L'Architecte sort de cette poche un récepteur, le porte à son oreille; un bout du fil téléphonique reste dans la poche.)

L'Architecte. Allô?

Bérenger. Excusez-moi, Monsieur l'Architecte, je vous em- pêche de faire votre service . . .

L'Architecte (au téléphone). Allô? *(A Bérenger.)* Mais non . . . J'ai réservé une heure pour vous faire visiter le quartier. Vous ne me dérangez pas du tout. *(Au télé- phone.)* Allô? Oui. Je suis au courant. Prévenez le sous- 130 chef. Entendu. Qu'il enquête, s'il y tient absolument. Qu'il fasse les formalités. Je suis avec Monsieur Bérenger, pour la visite de la cité radieuse. *(Il remet l'appareil dans sa poche. A Bérenger qui s'était éloigné de quelques pas, perdu dans son ravissement.)* Vous disiez? Hé, où êtes-vous?

Bérenger. Ici. Excusez-moi, Que disais-je? Ah, oui . . . Oh, ça n'a plus beaucoup d'importance, maintenant.

L'Architecte. Allez-y. Dites quand même.

Bérenger. Je disais . . . ah oui . . . dans mon quartier, chez 140
moi plus particulièrement, tout est humide : le charbon, le pain, le vent, le vin, les murs, l'air, et même le feu. Que j'ai eu du mal ce matin à me lever, j'ai dû faire un grand effort. C'était bien pénible. Si les draps n'avaient pas été humides eux aussi je ne me serais pas décidé. J'étais loin de prévoir que, tout d'un coup, comme par enchantement, je me verrais au milieu du printemps, en plein avril, en cet avril de mes rêves . . . de mes plus anciens rêves . . .

L'Architecte. Des rêves! *(Haussement d'épaules.)* En tout cas, 150
vous auriez mieux fait de venir plus tôt, de venir avant que . . .

Bérenger (l'interrompant). Ah oui j'en ai perdu du temps, c'est vrai . . . *(Bérenger et l'Architecte continuent de faire des pas sur la scène. Bérenger doit donner l'impression de parcourir des avenues, des allées, des jardins. L'Architecte le suit, plus lentement. A certains moments, peut-être, Bérenger devra se retourner pour parler à l'Architecte, et lui parler d'une voix plus forte. Il doit faire semblant d'attendre que l'Architecte se rapproche. Montrant de la* 160
main, dans le vide.) Oh, la jolie maison! La façade est exquise, j'admire la pureté de ce style! Du XVIIIe? Non, du XVe ou fin XIXe? En tout cas, c'est classique et surtout, que c'est coquet, que c'est coquet . . . Eh oui, j'ai perdu beaucoup de temps, est-il trop tard? . . . Non . . . Si . . . Non, il n'est peut-être pas trop tard, qu'en pensez-vous?

L'Architecte. Je n'ai pas réfléchi à la question.

Bérenger. J'ai trente-cinq ans, Monsieur l'Architecte, trente-cinq . . . en réalité, pour tout vous dire, j'en ai quarante, quarante-cinq . . . peut-être même davantage. 170

L'Architecte (regardant la fiche). Nous le savons. Votre âge est inscrit sur votre fiche. Nous avons tous les dossiers.

Bérenger. Vraiment? . . . Oh!

L'Architecte. C'est normal, il nous les faut pour l'état civil, mais ne vous inquiétez pas. Le code ne prévoit pas de sanctions pour ce genre de dissimulations, de coquetteries.

Bérenger. Ah, tant mieux! D'ailleurs, si je ne déclare que trente-cinq ans, ce n'est absolument pas pour tromper mes concitoyens, qu'est-ce que ça peut leur faire? C'est 180 pour me tromper moi-même. De cette façon, je me suggestionne, je me crois plus jeune, je m'encourage . . .

L'Architecte. C'est humain, c'est naturel.

(Sonnerie du téléphone de poche, l'Architecte reprend l'appareil.)

Bérenger. Ah, ces gentils petits cailloux!

L'Architecte (au récepteur). Allô . . . Une femme? Prenez son signalement. Enregistrez. Envoyez au service de la statistique . . .

Bérenger (montrant du doigt le coin de la scène, à gauche). Qu'est-ce que c'est, là?

L'Architecte (au téléphone). Mais non, mais non, rien d'autre 190 à signaler. Tant que je suis là, il ne peut rien se passer d'autre. *(Il remet le récepteur dans sa poche. A Bérenger.)* Je m'excuse, je vous écoute.

Bérenger (même jeu). Qu'est-ce que c'est, là?

L'Architecte. Ah, ceci . . . c'est une serre.

Bérenger. Une serre?

L'Architecte. Oui. Pour les fleurs qui ne s'accommodent pas d'un climat tempéré, les fleurs qui aiment le froid. On leur crée un climat hibernal. De temps à autre, on fait marcher des petites tempêtes. 200

Bérenger. Ah, tout est prévu . . . oui, Monsieur, j'ai peut-être soixante ans, soixante-dix ans, quatre-vingts, cent vingt ans, que sais-je?

L'Architecte. Moralement!

Bérenger. Cela se traduit aussi physiquement. C'est psychosomatique . . . Est-ce que je dis des sottises?

L'Architecte. Pas tellement. Comme tout le monde.

Bérenger. Je me sens vieux. Le temps est surtout subjectif. Ou plutôt, je me sentais vieux, car depuis ce matin je suis un homme nouveau. Je suis sûr que je redeviens moi-même, 210 le monde redevient lui-même; c'est votre pouvoir qui aura fait cela. Votre lumière magique . . .

L'Architecte. Mon éclairage électrique!

Bérenger. . . . Votre cité lumineuse! *(Il montre du doigt, tout près.)* C'est le pouvoir de ces murs immaculés couverts de roses, votre œuvre! Ah, oui, oui, oui . . . rien n'est donc perdu, j'en suis sûr, à présent . . . Je me souviens tout de même que deux ou trois personnes m'avaient, en effet, parlé de la cité riante: les uns me disaient que c'était tout près, les autres que c'était très loin, qu'on y 220 arrivait facilement, difficilement, que c'était un quartier réservé . . .

L'Architecte. C'est faux!

Bérenger. . . . Qu'il n'y avait pas de moyens de transport . . .

L'Architecte. C'est idiot. La station du tramway est là, au bout de l'allée principale.

Bérenger. Oui, bien sûr, bien sûr! Je sais, maintenant. Pendant longtemps, je vous assure, j'avais essayé, consciemment ou inconsciemment, de trouver la direction. J'allais à pied jusqu'au bout d'une rue, je m'apercevais que ce n'était 230 qu'une impasse. Je contournais des murailles, longeais des clôtures, arrivais au fleuve, loin du pont, au-delà du marché et des portes. Ou alors, je rencontrais des amis, en cours de route, qui ne m'avaient plus revu depuis le régiment : j'étais obligé de m'arrêter pour bavarder avec eux; il se faisait trop tard; je devais rentrer. Enfin n'y pensons plus, j'y suis, maintenant. Je suis rassuré.

L'Architecte. C'était tellement simple. Il suffisait de m'envoyer un mot, d'écrire officiellement aux bureaux muni- 240 cipaux; mes services vous auraient envoyé, sous pli recommandé, toutes les indications nécessaires.

Bérenger. Eh oui, il fallait y penser! Enfin, inutile de regretter les années gâchées . . .

L'Architecte. Comment vous y êtes-vous pris aujourd'hui pour trouver le chemin?

Bérenger. Tout à fait par hasard. J'ai pris le tramway, justement.

L'Architecte. Qu'est-ce que je vous disais?

Bérenger. Je me suis trompé de tramway, je voulais en 250 prendre un autre, j'étais convaincu que je n'étais pas dans la bonne direction, pourtant c'était la bonne, par erreur, heureuse erreur . . .

L'Architecte. Heureuse?

Bérenger. Non? Pas heureuse? Oh, mais si, heureuse, très heureuse.

L'Architecte. Enfin, bref, vous verrez par la suite.

Bérenger. J'ai déjà vu. Ma conviction est faite.

L'Architecte. De toute façon, sachez qu'il faut toujours aller jusqu'au terminus. Dans toutes les circonstances. Tous 260 les tramways mènent ici : c'est le dépôt.

Bérenger. En effet. Le tramway m'a laissé là, à la station. J'ai tout de suite reconnu, bien que ne les ayant jamais vues, les avenues, les maisons en fleurs, et vous, qui aviez l'air de m'attendre.

L'Architecte. J'étais prévenu.

Bérenger. Il y a une telle métamorphose! C'est comme si je me trouvais loin vers le sud, à mille ou deux mille kilomètres. Un autre univers, un monde transfiguré! Pour y arriver, rien que ce tout petit voyage, un voyage qui n'en est pas 270 un, puisqu'il a lieu, pour ainsi dire, sur les lieux mêmes . . . *(Il rit, puis, gêné :)* Excusez ce mauvais petit jeu de mots, ce n'est pas très spirituel.

L'Architecte. Ne prenez pas cet air navré. J'en ai entendu de pires. Je mets cela sur le compte de votre euphorie . . .

Bérenger Je ne suis pas un esprit scientifique. Voilà pourquoi sans doute, je ne m'explique pas, malgré vos explications pertinentes, comment il peut faire toujours beau dans cet

endroit! Peut-être aussi, et cela a dû vous faciliter les choses, les lieux sont-ils mieux protégés? Il n'y a pas de 280
collines pourtant, tout autour, pour abriter contre le
mauvais temps! D'ailleurs, les collines ne chassent pas les
nuages, n'empêchent pas la pluie, n'importe qui le sait.
Est-ce qu'il y a des coutants chauds et lumineux venant
d'un cinquième point cardinal ou d'une troisième
hauteur? Non, n'est-ce pas? D'ailleurs, cela se saurait. Je
suis stupide. Il n'y a aucune brise, bien que l'air sente
bon. C'est curieux, tout de même, Monsieur l'Architecte
de la ville, c'est bien curieux!

L'Architecte (donnant des renseignements compétents). Rien 290
d'extraordinaire, je vous dis, c'est de la tech-ni-que!!
Tâchez donc de comprendre. Vous auriez dû suivre une
école pour adultes. Ici, c'est tout simplement un îlot . . .
avec des ventilateurs cachés que j'ai pris pour modèles
dans ces oasis qui se trouvent un peu partout, dans les
déserts, où vous voyez surgir, tout à coup, au milieu des
sables arides, des cités surprenantes, recouvertes de
roses fraîches, ceinturées de sources, de rivières, de
lacs . . .

Bérenger. Ah, oui . . . C'est exact. Vous parlez de ces cités que 300
l'on appelle aussi mirages. J'ai lu des récits d'explorateurs
à ce sujet. Vous voyez, je ne suis pas complètement
ignorant. Les mirages . . . il n'y a rien de plus réel. Les
fleurs de feu, les arbres de flamme, les étangs de lumière,
il n'y a que cela de vrai, au fond. J'en suis bien convaincu.
Et là-bas? Qu'est-ce que c'est?

L'Architecte. Là-bas? Où là-bas? Ah, là-bas?

Bérenger. On dirait un bassin.

*(L'éclairage fait apparaître, dans le fond, la forme vague d'un
bassin qui a surgi au moment où le mot a été prononcé.)*

L'Architecte. Heu . . . Dame, oui. Un bassin. Vous avez bien
vu. C'est un bassin. *(Il consulte sa montre.)* Je crois que 310
j'ai encore un peu de temps.

Bérenger. Peut-on y aller?

L'Architecte. Vous voudriez le voir de plus près? *(Il a l'air d'hésiter.)* Bon. Puisque vous y tenez. Je dois vous le montrer.

Bérenger. Ou plutôt . . . je ne sais quoi choisir . . . Tout est si beau . . . J'aime les pièces d'eau, mais je me sens attiré aussi par ce buisson fleuri d'aubépines. Si vous voulez, nous verrons le bassin tout à l'heure . . .

L'Architecte. Comme vous voulez!   320

Bérenger. J'adore les aubépines.

L'Architecte. Décidez-vous.

Bérenger. Oui, oui, allons vers les aubépines.

L'Architecte. Je suis à votre disposition.

Bérenger. On ne peut tout voir à la fois.

L'Architecte. C'est très juste.

(Le bassin disparaît. Ils font quelques pas.)

Bérenger. Quelle odeur suave! Vous savez, Monsieur l'Architecte, je . . . excusez-moi de vous parler de moi . . . on peut tout dire à un architecte, il comprend tout . . .

L'Architecte. Faites donc, faites, ne vous gênez pas.   330

Bérenger. Merci! Vous savez, j'ai tellement besoin d'une autre vie, d'une nouvelle vie. Un autre cadre, un autre décor; un autre décor, vous allez penser que c'est bien peu de chose et que . . . avoir de l'argent, par exemple . . .

L'Architecte. Mais non, mais non . . .

Bérenger. Mais si, mais si, vous êtes trop poli . . . Un décor, cela n'est que superficiel, de l'esthétisme, s'il ne s'agit pas, comment dire, d'un décor, d'une ambiance qui correspondrait à une nécessité intérieure, qui serait, en quelque sorte . . .   340

L'Architecte. Je vois, je vois . . .

Bérenger. . . . le jaillissement, le prolongement de l'univers du dedans. Seulement, pour qu'il puisse jaillir, cet univers du dedans, il lui faut le secours extérieur d'une certaine lumière existante, physique, d'un monde ob-

51

jectivement nouveau. Des jardins, du ciel bleu, un printemps qui correspondent à l'univers intérieur, dans lequel celui-ci puisse se reconnaître, qui soit comme sa traduction ou comme son anticipation, ou ses miroirs dans lesquels son propre sourire pourrait se réfléchir . . . 350 dans lesquels il puisse se reconnaître, dire : voilà ce que je suis en vérité et que j'avais oublié, un être souriant dans un monde souriant . . . En somme, monde intérieur, monde extérieur, ce sont des expressions impropres, il n'y a pas de véritables frontières pourtant entre ces deux mondes; il y a une impulsion première, évidemment, qui vient de nous, et lorsqu'elle ne peut s'extérioriser, lorsqu'elle ne peut se réaliser objectivement, lorsqu'il n'y a pas un accord total entre moi du dedans et moi du dehors c'est la catastrophe, la contradiction universelle, la 360 cassure.

L'Architecte (se grattant la tête). Vous avez une de ces terminologies. Nous ne parlons pas le même langage.

Bérenger. Je ne pouvais plus vivre, sans pouvoir mourir, cependant. Heureusement, tout va changer.

L'Architecte. Du calme, du calme !

Bérenger. Excusez-moi. Je m'exalte.

L'Architecte. C'est un trait de votre caractère. Vous faites partie de la catégorie des tempéraments poétiques. Il en faut, sans doute, puisque cela existe. 370

Bérenger. Depuis des années et des années, de la neige sale, un vent aigre, un climat sans égard pour les créatures . . . des rues, des maisons, des quartiers entiers, de gens pas vraiment malheureux, c'est pire, des gens ni heureux ni malheureux, laids, parce qu'ils ne sont ni laids ni beaux, des êtres tristement neutres, nostalgiques sans nostalgies, comme inconscients, souffrant inconsciemment d'exister. Mais moi j'avais conscience du malaise de l'existence. Peut-être parce que je suis plus intelligent, ou moins intelligent au contraire, moins sage, moins résigné, 380 moins patient. Est-ce un défaut? Est-ce une qualité?

L'Architecte (qui donne des signes d'impatience). C'est selon.

Bérenger. On ne peut pas savoir. L'hiver de l'âme! Je m'exprime confusément, n'est-ce pas?

L'Architecte. Je ne saurais en juger. Ce n'est pas dans mes attributions. C'est le service de la logique qui s'en occupe.

Bérenger. Je ne sais si vous goûtez mon lyrisme.

L'Architecte (sèchement). Mais si, voyons!

Bérenger. Voilà. Voilà : il y avait, autrefois, en moi, ce foyer puissant de chaleur intérieure, contre laquelle le froid ne 390 pouvait rien, une jeunesse, un printemps que les automnes ne pouvaient entamer; une lumière rayonnante, des sources lumineuses de joie que je croyais inépuisables. Pas le bonheur, je dis bien : la joie, la félicité qui faisaient que je pouvais vivre . . . *(Sonnerie du téléphone dans la poche de l'Architecte.)* . . . Il y avait une énorme énergie . . . *(L'Architecte sort le téléphone de sa poche.)* . . . Un élan . . . ça devait être l'élan vital, n'est-ce pas? . . .

L'Architecte (récepteur à l'oreille). Allô?

Bérenger. Et puis, cela, tout cela s'est éteint, s'est brisé . . . 400

L'Architecte (au téléphone). Allô? Parfait, parfait, parfait! . . . Cela ne doit pas dater d'hier.

Bérenger (continuant son monologue). Cela doit dater depuis . . . depuis je ne sais plus quand . . . depuis très, très longtemps . . . *(L'Architecte remet le récepteur dans sa poche et donne de nouveaux signes d'impatience; il va en coulisse, à gauche, il rapporte une chaise qu'il installe dans le coin, à gauche, où était supposée se trouver la serre.)* . . . Il doit y avoir des siècles . . . ou peut-être seulement quelques années, ou peut-être était-ce hier . . . 410

L'Architecte. Je vous prie de m'excuser, j'ai des affaires urgentes à régler au bureau, permettez-moi de m'y rendre.

(Il sort à gauche, une seconde.)

Bérenger (seul). Oh . . . Monsieur l'Architecte, vraiment, je m'excuse, je . . .

53

L'Architecte (revient, avec une petite table qu'il met devant la chaise, s'assoit, sort le téléphone de sa poche, le pose sur la table, met son porte-documents, ouvert, devant lui). A mon tour de m'excuser.

Bérenger. Oh, je suis confus.   420

L'Architecte. Ne soyez pas trop déçu. J'ai deux oreilles : une pour le service, je vous réserve l'autre. Un œil aussi, pour vous. L'autre pour la commune.

Bérenger. Cela ne va pas trop vous fatiguer?

L'Architecte. Ne vous inquiétez pas. J'ai l'habitude. Allez-y, poursuivez . . . *(Il sort du porte-documents, ou fait semblant, des dossiers qu'il pose et ouvre, ou fait semblant, sur la table.)* Je suis à mes dossiers, et aussi à vous . . . Vous ne saviez pas, disiez-vous, depuis quand datait la rupture de votre élan !   430

Bérenger. Certainement pas d'hier. *(Il continue de se promener en tournant autour de l'Architecte plongé dans ses dossiers.)* C'est tellement ancien que j'ai presque oublié, qu'il me semble qu'il s'agit d'une illusion; pourtant ce ne peut être une illusion puisque j'en ressens terriblement l'absence.

L'Architecte (dans ses dossiers). Racontez.

Bérenger. Je ne puis analyser cet état, je ne sais même pas si l'expérience que j'ai vécue est communicable. Ce n'était pas une expérience fréquente. Elle s'est répétée cinq ou   40 six fois, dix fois, peut-être, dans ma vie. Assez, cependant, pour combler de joie, de certitude, je ne sais quels réservoirs de l'esprit. Lorsque j'étais enclin à la mélancolie, le souvenir de ce rayonnement éblouissant, de cet état lumineux faisait renaître en moi la force, les raisons sans raison de vivre, d'aimer . . . d'aimer quoi? . . . D'aimer tout, éperdument . . .

L'Architecte (au téléphone). Allô, le stock est épuisé !

Bérenger. Hélas, oui, Monsieur.

L'Architecte (qui a raccroché). Je ne disais pas cela pour vous,   450 cela concerne mes dossiers.

Bérenger. C'est vrai aussi pour moi, Monsieur, les réservoirs sont vides. Pour ce qui est de la lumière, je peux être considéré comme économiquement faible. Je vais tâcher de vous dire . . . est-ce que j'abuse?

L'Architecte. J'enregistre, c'est mon métier. Continuez, ne vous gênez pas.

Bérenger. C'est à la fin du printemps que cela m'arrivait, ou bien aux tout premiers jours de l'été, à l'approche de midi; cela se passait d'une façon tout à fait simple et, à 460 la fois, tout à fait inattendue. Le ciel était aussi pur que celui dont vous avez su recouvrir votre radieuse cité, Monsieur l'Architecte. Oui, cela se passait dans un extraordinaire silence, dans une très longue seconde de silence . . .

L'Architecte (toujours dans ses dossiers). Bon. Parfait.

Bérenger. La dernière fois, je devais avoir dix-sept ans, dix-huit ans, je me trouvais dans une petite ville de campagne . . . laquelle? . . . laquelle, mon Dieu? . . . Quelque part dans le sud, je crois . . . Bref, cela n'a pas d'importance, 470 les lieux ne comptent guère, je me promenais dans une rue étroite, à la fois ancienne et neuve, bordée de maisons basses, toutes blanches, enfouies dans des cours, ou des petits jardins, avec des clôtures de bois, peintes . . . en jaune clair, était-ce en jaune clair? J'étais tout seul dans la rue. Je longeais les clôtures, les maisons, il faisait bon, pas trop chaud, le soleil au-dessus de ma tête, très haut dans le bleu du ciel. Je marchais à vive allure, vers quel but? Je ne sais plus. Je sentis profondément le bonheur unique de vivre. J'avais tout oublié, je ne pensais plus à 480 rien sauf à ces maisons-là, ce ciel profond, ce soleil qui semblait s'être rapproché, à portée de la main dans ce monde construit à ma mesure.

L'Architecte (consultant sa montre). Elle n'est pas encore là, c'est tout de même extraordinaire! Encore en retard!

Bérenger (continuant). Brusquement la joie se fit plus grande encore, rompant toutes les frontières! Oh, l'indicible euphorie m'envahit, la lumière se fit encore plus éclatante, sans rien perdre de sa douceur, elle était tellement dense qu'elle en était respirable, elle était devenue l'air lui- 490 même ou buvable, comme une eau transparente . . . Comment vous dire l'éclat incomparable? . . . C'était comme s'il y avait quatre soleils dans le ciel . . .

L'Architecte (parlant au téléphone). Allô? Avez-vous vu ma secrétaire aujourd'hui? Il y a un tas de travail qui l'attend.

(Il raccroche avec colère.)

Bérenger. Les maisons que je longeais semblaient être des taches immatérielles prêtes à fondre dans la lumière plus grande qui dominait tout.

L'Architecte. Je vais lui coller une de ces amendes! 500

Bérenger (à l'Architecte). Vous voyez ce que je veux dire.

L'Architecte (distrait). A peu près, votre exposé me semble plus clair maintenant.

Bérenger. Pas un homme dans la rue, pas un chat, pas un bruit, il n'y avait que moi. *(Sonnerie du téléphone.)* Pourtant, je ne souffrais pas de cette solitude, ce n'était pas une solitude.

L'Architecte (au téléphone). Alors est-ce qu'elle est arrivée?

Bérenger. Ma paix, ma propre lumière à leur tour s'épanchaient dans le monde, je comblais l'univers d'une sorte 510 d'énergie aérienne. Pas une parcelle vide, tout était un mélange de plénitude et de légèreté, un parfait équilibre.

L'Architecte (au téléphone) Enfin! Passez-la-moi au bout du fil.

Bérenger. Un chant triomphal jaillissait du plus profond de mon être : j'étais, j'avais conscience que j'étais depuis toujours, que je n'allais plus mourir.

L'Architecte (au téléphone, contenant son irritation). Je suis quand même heureux de vous entendre, Mademoiselle. Ce n'est pas trop tôt. Comment? 520

Bérenger. Tout était vierge, purifié, retrouvé, je ressentais à la

fois un étonnement sans nom, mêlé à un sentiment
d'extrême familiarité.

L'Architecte (au téléphone). Qu'est-ce que cela veut dire,
Mademoiselle?

Bérenger. C'est bien cela, me disais-je, c'est bien cela . . . Je ne
puis vous expliquer ce que « cela » voulait dire, mais, je
vous assure, Monsieur l'Architecte, je me comprenais
très bien.

L'Architecte (au téléphone). Je ne vous comprends pas, Made- 530
moiselle. Vous n'avez aucune raison de vous plaindre de
nous. Ce serait plutôt le contraire.

Bérenger. Je me sentais là, aux portes de l'univers, au centre
de l'univers . . . Cela doit vous paraître contradictoire!

L'Architecte (au téléphone). Un moment, je vous prie. *(A
Bérenger.)* Je vous suis, je vous suis, je fais la part des
choses, ne vous inquiétez pas. *(Au téléphone.)* J'écoute.

Bérenger. Je marchais, je courais, je criais : je suis, je suis, tout
est, tout est! . . . Oh, j'aurais certainement pu m'envoler,
tellement j'étais devenu léger, plus léger que ce ciel bleu 540
que je respirais . . . Un effort de rien, un tout petit bond
aurait suffi . . . Je me serais envolé . . . j'en suis sûr.

L'Architecte (au téléphone et tapant du poing sur la table). Ça
c'est trop fort. Qu'est-ce qu'on vous a fait?

Bérenger. Si je ne l'ai pas fait c'est que j'étais trop heureux, je
n'y pensais plus.

L'Architecte (au téléphone). Vous voulez quitter l'Administration? Réfléchissez bien avant de démissionner. Vous
abandonnez, sans raisons sérieuses, une brillante car-
rière! Chez nous, vous avez pourtant l'avenir assuré, et 550
la vie . . . et la vie!! Vous ne craignez pas le danger!

Bérenger. Et tout à coup, ou, plutôt petit à petit . . . non,
plutôt subitement, je ne sais pas, je sais seulement que
tout était redevenu gris ou pâle ou neutre. C'est une façon
de parler, le ciel était toujours pur, ce n'était pas la même
pureté, ce n'était plus le même soleil, le même matin, le
même printemps. Un tour de passe-passe s'était produit.

Ce n'était plus que le jour de tous les jours, une lumière naturelle.

L'Architecte (au téléphone). Vous ne pouvez plus supporter la situation? C'est enfantin. Je refuse votre démission. En tout cas, venez finir votre courrier et vous vous expliquerez. Je vous attends. 560

(Il raccroche.)

Bérenger. Il se fit en moi une sorte de vide tumultueux, une tristesse profonde s'empara de moi, comme au moment d'une séparation tragique, intolérable. Les commères sortirent des cours, percèrent mes tympans de leurs voix criardes, des chiens aboyèrent, je me sentis abandonné parmi tous ces gens, toutes ces choses . . .

L'Architecte. Elle est complètement idiote. *(Il se lève.)* C'est son affaire, après tout. Il y en a mille pour demander sa place . . . *(il se rassoit)* . . . et une vie sans péril. 570

Bérenger. Et depuis, c'est le perpétuel novembre, crépuscule perpétuel, crépuscule du matin, crépuscule de minuit, crépuscule de midi. Finies les aurores! Dire que l'on appelle cela la civilisation!

L'Architecte. Attendons-la.

Bérenger. Ce qui m'a permis de continuer la vie dans la cité grise, c'est le souvenir de cet événement.

L'Architecte (à Bérenger). Vous en êtes sorti, tout de même, de cette . . . mélancolie? 580

Bérenger. Pas tout à fait. Mais je me suis promis de ne pas oublier. Dans mes jours de tristesse, de dépression nerveuse ou d'angoisse, je me rappellerai toujours, me suis-je dit, cet instant lumineux qui me permettrait de tout supporter, qui devrait être ma raison d'exister, mon appui. Pendant des années, j'étais sûr . . .

L'Architecte. Sûr de quoi?

Bérenger. Sûr d'avoir été sûr . . . mais ce souvenir n'a pas été assez fort pour résister au temps. 590

L'Architecte. Il me semble pourtant . . .

58

Bérenger. Vous vous trompez, Monsieur l'Architecte. Le
souvenir que j'en ai gardé n'est plus que le souvenir d'un
souvenir, comme une pensée devenue extérieure à moi-
même, comme une chose racontée par un autre; image
défraîchie que je ne pouvais plus rendre vivante. L'eau de
la source s'était tarie, et je me mourais de soif . . . Mais
vous devez vous-même parfaitement me comprendre,
cette lumière est aussi en vous, c'est la même, c'est la
mienne puisque *(grand geste : montrant dans le vide)* vous 600
l'avez, de toute évidence, recréée, matérialisée. Ce
quartier radieux, il a bien jailli de vous . . . Vous me
l'avez rendue ma lumière oubliée . . . ou presque. Je vous
en suis infiniment reconnaissant. Merci en mon nom et
au nom de tous les habitants.

L'Architecte. Mais oui, bien sûr.

Bérenger. Et chez vous ce n'est pas le produit irréel d'une
imagination exaltée. Ce sont de vraies maisons, des
pierres, de la brique, du ciment *(touchant dans le vide)*,
c'est concret, palpable, solide. Votre méthode est la 610
bonne, vos procédés sont rationnels.

(Il fait toujours semblant de tâter des murs.)

*L'Architecte (tâtant, lui aussi, des murs invisibles, après avoir
quitté son coin).* C'est de la brique, oui et de la bonne. Du
ciment, et de la meilleure qualité.

Berenger (même jeu). Non, non, ce n'est pas un simple rêve,
cette fois.

*L'Architecte (tâtant toujours des murs invisibles, puis s'arrêtant,
avec un soupir).* Il eût été peut-être préférable que ce fût
un rêve. Pour moi, cela m'est égal. Je suis fonctionnaire.
Mais pour beaucoup d'autres, la réalité, contrairement 620
au rêve, peut tourner au cauchemar . . .

*Bérenger (s'arrêtant, lui aussi, de tâter les murs invisibles, très
surpris).* Pourquoi donc, que voulez-vous dire?

(L'Architecte retourne à ses dossiers.)

Bérenger. En tout cas, je suis heureux d'avoir touché du doigt la réalité de mon souvenir. Je suis aussi jeune qu'il y a cent ans. Je peux redevenir amoureux . . . *(En direction de la coulisse, à droite.)* Mademoiselle, ô, Mademoiselle, voulez-vous rous marier avec moi?

(Juste à la fin de cette dernière phrase entre, par la droite, Dany, blonde secrétaire de l'Architecte.)

L'Architecte (à Dany qui entre). Ah, vous voilà vous, nous avons à parler.   630

Dany (à Bérenger). Laissez-moi le temps de réfléchir, au moins!

L'Architecte (à Bérenger). Ma secrétaire, Mademoiselle Dany. *(A Dany.)* Monsieur Bérenger.

Dany (distraitement, un peu nerveuse, à Bérenger). Enchantée.

L'Architecte (à Dany). Nous n'aimons pas les retards, Mademoiselle, dans l'Administration. Les caprices non plus.

Bérenger (à Dany, qui va poser sa machine à écrire sur la table et apporte une chaise de la coulisse de gauche). Mademoiselle Dany, quel joli nom! Avez-vous réfléchi, mainte- 640
nant? C'est oui, n'est-ce pas?

Dany (à l'Architecte). Je suis décidée à partir, Monsieur, j'ai besoin de vacances. Je suis fatiguée.

L'Architecte (mielleux). Si ce n'est que cela, il fallait le dire. On peut s'arranger. Voulez-vous trois jours de permission?

Bérenger (à Dany) C'est oui, n'est-ce pas? Oh, vous êtes tellement belle . . .

Dany (à l'Architecte). Je dois me reposer beaucoup plus longtemps.

L'Architecte (à Dany). Je consulterai la Direction générale, je 650
peux vous obtenir une semaine à mi-solde.

Dany (à l'Architecte). J'ai besoin de me reposer définitivement.

Bérenger (à Dany). J'aime les filles blondes, les visages lumineux, les yeux clairs, les longues jambes!

L'Architecte. Définitivement? Tiens, tiens.

Dany (à l'Architecte). Je veux surtout trouver un autre travail. Je ne peux plus supporter le situation.

L'Architecte. Ah, c'est donc cela?

Dany (à l'Architecte). Oui, Monsieur.   660

Bérenger (à Dany, avec élan). Vous avez dit oui! Oh, Mademoiselle Dany . . .

L'Architecte (à Bérenger). Ce n'est pas à vous, c'est à moi qu'elle s'adresse.

Dany (à l'Architecte). J'espérais toujours que cela changerait. Les choses en sont toujours là. Je ne vois pas d'amélioration possible.

L'Architecte. Réfléchissez, je vous le répète, réfléchissez bien. Si vous ne faites plus partie de nos services, l'Administration ne vous prend plus sous sa protection. Le savez- 670 vous? Êtes-vous bien consciente des dangers qui vous guettent?

Dany. Oui, Monsieur, personne n'est mieux placée que moi pour le savoir.

L'Architecte. Vous assumez les risques?

Dany (à l'Architecte). Je les assume, oui, Monsieur.

Bérenger (à Dany). Répondez-moi oui, à moi aussi. Vous dites oui si gentiment.

L'Architecte (à Dany). Je décline donc toute responsabilité. Vous voilà avertie.   680

Dany (à l'Architecte). Je ne suis pas sourde, j'ai compris, ce n'est pas la peine de me le répéter trente-six mille fois!

Bérenger (à l'Architecte). Comme elle est douce! Exquise. *(A Dany)*. Mademoiselle, Mademoiselle, nous habiterions ici, dans ce quartier, dans cette villa! Nous serons enfin heureux.

L'Architecte (à Dany). Vous ne voulez pas changer d'avis, n'est-ce pas? C'est un coup de tête insensé!

Dany (à l'Architecte). Non, Monsieur.

Bérenger (à Dany). Oh, vous m'avez dit non?   690

L'Architecte (à Bérenger). C'est à moi qu'elle a dit non.

Bérenger. Ah, vous me rassurez!

Dany (à l'Architecte). Je déteste l'Administration, j'ai horreur de votre beau quartier, je n'en peux plus, je n'en peux plus !

L'Architecte (à Dany). Ce n'est pas mon quartier.

Bérenger (à Dany qui ne l'écoute pas). Répondez, belle Demoiselle, magnifique Dany, sublime Dany . . . Laissez-moi vous appeler Dany.

L'Architecte (à Dany). Je ne puis vous empêcher de démissioner, partez donc, mais tenez-vous sur vos gardes. C'est 700 un conseil amical que je vous donne, un conseil paternel.

Bérenger (à l'Architecte). Vous a-t-on décoré pour vos réalisations urbanistiques? On aurait dû le faire.

Dany (à l'Architecte). Si vous voulez, je peux terminer de taper le courrier avant de partir.

Bérenger (à l'Architecte). Si j'étais le maire, je vous aurais décoré, moi.

L'Architecte (à Bérenger). Merci. *(A Dany.)* Merci, ce n'est pas la peine, je me débrouillerai.

Bérenger (sentant des fleurs imaginaires). Ça sent bon! Ce sont 710 des lis?

L'Architecte. Non, des violettes.

Dany (à l'Architecte). Je vous le proposais par gentillesse.

Bérenger (à l'Architecte). Puis-je en offrir à Dany?

L'Architecte. Si vous voulez.

Bérenger (à Dany) Vous ne savez pas, chère amie, chère Dany, chère fiancée, à quel point vous me manquiez!

Dany. Si c'est comme ça . . .

(Avec une certaine irritation, elle prend sa machine à écrire, range ses affaires avec des gestes brusques.)

Bérenger (à Dany). Nous habiterions un appartement superbe, plein de soleil.   720

Dany (à l'Architecte). Vous devez tout de même comprendre que je ne peux plus partager la responsabilité. C'est audessus de mes forces.

L'Architecte. L'Administration est irresponsable.

Dany (à l'Architecte). Vous devriez prendre conscience . . .

L'Architecte (à Dany). Ce n'est pas à vous de me donner des conseils. C'est mon affaire. Mais, encore une fois, tenez-vous sur vos gardes!

Dany (à l'Architecte). Moi non plus je n'ai pas à écouter vos conseils. C'est mon affaire, à moi aussi.   730

L'Architecte (à Dany). Bon, bon, bon!

Dany. Au revoir, Monsieur l'Architecte.

L'Architecte (à Dany). Adieu.

Dany (à Bérenger). Au revoir, Monsieur.

Bérenger (courant vers Dany, qui se dirige vers la sortie, à droite). Dany, Mademoiselle, ne partez pas sans donner la réponse . . . Et prenez ces violettes, au moins! *(Dany sort. Bérenger, les bras ballants, est près de la sortie.)* Oh . . . *(A l'Architecte.)* Vous qui connaissez le cœur humain, quand une femme ne répond ni oui ni non, cela 740 veut dire «oui» n'est-ce pas? *(En direction de la coulisse de droite.)* Vous serez mon inspiratrice, vous serez ma muse. Je travaillerai. *(Tandis qu'on entend un vague écho répétant ces dernières syllabes, Bérenger fait deux pas vers l'Architecte et montre dans le vide.)* Je ne renonce pas. Je m'installe ici, avec Dany. J'achèterai cette maison blanche, au milieu de la verdure et qui a l'air d'être abandonnée par ses constructeurs . . . Je n'ai pas beaucoup d'argent, vous m'accorderez des facilités de paiement.

L'Architecte. Si vous y tenez toujours! Si vous n'allez pas vous 750 raviser.

Bérenger. J'y tiens absolument. Et pourquoi me raviser? Je veux être, avec votre permission, un citoyen de la cité radieuse. Je m'installe dès demain, même si la maison n'est pas encore tout à fait terminée.

L'Architecte (regarde sa montre). Midi trente-cinq.

(Soudain, bruit d'une pierre qui tombe à deux pas de Bérenger, entre celui-ci et l'Architecte.)

Bérenger. Oh! *(Léger mouvement de recul de Bérenger.)* Une pierre!

L'Architecte (sans étonnement, impassible). Oui. Une pierre!

Bérenger (se penche, ramasse la pierre, se relève et la contemple 760
dans sa main). C'est une pierre!

L'Architecte. Vous n'en aviez jamais vu?

Bérenger. Si . . . si . . . Comment? On nous jette des pierres?

L'Architecte. Une pierre, une seule pierre, non pas *des* pierres!

Bérenger. Je comprends, on nous a jeté *une* pierre.

L'Architecte. Ne vous inquiétez pas. Vous ne serez pas lapidé.
La pierre vous a-t-elle atteint? Non, n'est-ce pas?

Bérenger. Elle aurait pu.

L'Architecte. Mais non, mais non, voyons. *Elle ne peut pas*
vous atteindre. C'est pour vous taquiner.   770

Bérenger. Ah! Bon! . . . Si ce n'est que pour me taquiner il
faut admettre la plaisanterie! *(Il laisse retomber la pierre.)*
Je n'ai pas mauvais caractère. Surtout dans ce cadre, rien
ne peut troubler la bonne humeur. Elle m'écrira, n'est-ce
pas? *(Il regarde tout autour avec une légère inquiétude.)*
C'est très reposant, ici, c'est fait exprès. Un peu trop,
tout de même, qu'en dites-vous? Pourquoi ne voit-on
absolument personne dans les rues? Nous sommes vraiment les seuls promeneurs! . . . Ah, oui, sans doute, c'est
parce que c'est l'heure du déjeuner. Les gens sont tous à 780
table. Pourquoi, cependant, ne s'entendent pas les rires
des repas, le tintement des cristaux? Pas un bruit, pas un
murmure, pas une voix qui chante. Et toutes les fenêtres
sont fermées! *(Il jette un regard surpris dans le vide du
plateau.)* Je ne m'en étais pas aperçu. Dans un rêve cela
se comprend, mais pas dans la réalité.

L'Architecte. C'était tout de même frappant!

(On entend un bruit de vitres cassées.)

Bérenger. Que se passe-t-il encore?

*L'Architecte (prenant de nouveau l'appareil de sa poche, à
Bérenger).* C'est simple. Vous ne savez pas ce que c'est? 790
Un carreau cassé. Une pierre a dû le traverser. *(Second
bruit de vitre brisée; Bérenger a un mouvement plus*

accentué de recul; l'Architecte au téléphone.) Deux carreaux de cassés.

Bérenger. Qu'est-ce que cela veut dire? Une plaisanterie, n'est-ce pas? Deux plaisanteries! *(Une autre pierre fait tomber le chapeau de Bérenger; il le ramasse vivement, le remet sur sa tête, en s'écriant:)* Trois plaisanteries!

L'Architecte (remettant l'appareil dans sa poche, fronçant les sourcils). Écoutez-moi, Monsieur. Nous ne sommes pas 800 des gens d'affaires. Nous sommes des fonctionnaires, des administrateurs. Je dois donc vous dire, officiellement, administrativement, que la maison qui a l'air abandonnée, est réellement abandonnée par ses constructeurs. La police a suspendu toutes les constructions. Je le savais déjà. D'autre part, je viens d'en recevoir la confirmation téléphonique.

Bérenger. Comment cela? Pourquoi?

L'Architecte. La mesure est superflue, d'ailleurs, car, à part vous, plus personne ne veut acheter des lotissements. 810 Sans doute, n'êtes-vous pas au courant de la chose . . .

Bérenger. De quelle chose?

L'Architecte. Les habitants du quartier voudraient même le quitter . . .

Bérenger. Quitter le quartier radieux? Les habitants veulent quitter . . .

L'Architecte. Oui. Ils n'ont pas où loger autre part. Sans cela, ils auraient tous plié bagage. Peut-être aussi se font-ils un point d'honneur de ne pas fuir. Ils préfèrent rester cachés dans leurs beaux appartements. Ils n'en sortent 820 qu'en cas d'extrême nécessité, par groupes de dix ou quinze. Et même alors, le danger n'est pas écarté . . .

Bérenger. De quel danger parlez-vous? C'est encore une plaisanterie, n'est-ce pas? . . . Pourquoi prenez-vous cet air si grave? Vous assombrissez le paysage! Vous voulez m'effrayer! . . .

L'Architecte (solennel). Un fonctionnaire ne plaisante pas.

Bérenger (désolé). Que me racontez-vous donc? Vous m'avez

touché au cœur! C'est vous-même qui venez de me lancer
la pierre . . . Moralement, bien sûr, moralement! Hélas, 830
je me sentais déjà enraciné dans ce paysage! Il n'a plus
pour moi, à présent, qu'une clarté morte, il n'est plus
qu'un cadre vide . . . Je me sens hors de tout!

L'Architecte. J'en suis navré. Ne vacillez pas, voyons!

Bérenger. Je pressens des choses épouvantables.

L'Architecte. J'en suis navré, j'en suis navré.

*(Pendant les répliques qui précèdent et qui suivent, le jeu ne doit
    pas se départir d'une demi-ironie, surtout dans les moments
    pathétiques, afin de les contrebalancer.)*

Bérenger. Je me sens de nouveau envahi par la nuit intérieure!

L'Architecte (sec). J'en suis navré, j'en suis navré, j'en suis
navré!

Bérenger. Expliquez-vous, je vous implore. Moi qui espérais 840
passer une bonne journée! . . . J'étais si heureux, il y a
quelques instants!

L'Architecte (montrant du doigt). Vous voyez ce bassin?

(Le bassin réapparaît, précis, cette fois.)

Bérenger. C'est celui près duquel nous étions passés tout à
l'heure!

L'Architecte. Je voulais vous montrer . . . Vous avez préféré
les aubépines . . . *(Il montre encore le bassin.)* C'est là,
là-dedans qu'on en trouve tous les jours, deux ou trois,
noyés.

Bérenger. Des noyés?   850

L'Architecte. Venez donc voir, si vous ne me croyez pas.
Approchez-vous, approchez-vous!

*Bérenger (se dirigeant, avec l'Architecte, vers l'endroit indiqué
    ou au-devant du public, tandis que les choses dont on parle
    apparaîtront à mesure qu'on en parlera).* Approchons-
nous! . . .

L'Architecte. Regardez. Que voyez-vous?

Bérenger. Ah, ciel!

L'Architecte. Ne vous évanouissez pas, voyons, vous êtes un
   homme!   860

Bérenger (avec effort). J'aperçois . . . Est-ce possible . . . Oui,
   j'aperçois, flottant sur l'eau, le cadavre d'un petit garçon
   dans son cerceau . . . un garçonnet de cinq ou six ans . . .
   Il tient un bâtonnet dans sa main crispée . . . A côté, le
   corps, tout gonflé, d'un officier du génie, en grand uniforme . . .

L'Architecte. Il y en a même trois, aujourd'hui. *(Montrant du
   doigt.)* Là!

Bérenger. C'est de la végétation aquatique!

L'Architecte. Regardez mieux.   870

Bérenger. Mon Dieu! . . . Oui . . . Je vois! C'est une cheve-
   lure rousse qui émerge du fond, elle est accrochée sur le
   marbre qui borde la pièce d'eau. Quelle horreur! C'est
   une femme, sans doute.

L'Architecte (haussant les épaules). Evidemment. L'autre,
   c'est un homme. Et l'autre, un enfant. Nous n'en savons
   pas davantage, nous non plus.

Bérenger. C'est peut-être la mère du petit! Les pauvres!
   Pourquoi ne me l'avez-vous pas dit plus tôt!

L'Architect. Puisque je vous dis que vous m'avez tout le   880
   temps empêché et que vous étiez tout le temps attiré par
   les beautés du paysage!

Bérenger. Les pauvres! *(Violent.)* Qui a fait cela?

L'Architecte. L'assassin, l'apache. Toujours le même personnage. Insaisissable!

Bérenger. Mais notre vie est menacée! Allons-nous-en! *(Il
   s'enfuit; il court quelques mètres sur le plateau, revient vers
   l'Architecte qui ne bouge pas.)* Allons-nous-en! *(Fuite de
   Bérenger. Il ne fait que tourner autour de l'Architecte qui
   sort une cigarette, l'allume; on entend un coup de feu.)* Il a 890
   tiré!

L'Architecte. Ne vous effrayez pas! Avec moi, vous ne courez
   aucun danger.

Bérenger. Et ce coup de feu? Oh, non . . . non . . . je ne suis pas rassuré!

(Bérenger s'agite, tremble.)

L'Architecte. C'est pour jouer . . . Oui . . . Maintenant, c'est pour jouer, pour vous taquiner! Je suis l'Architecte de la ville, fonctionnaire municipal, il ne s'attaque pas à l'Administration. Lorsque je serai à la retraite, cela changera, mais, pour le moment . . .⁣   900

Bérenger. Allons-nous-en. Éloignons-nous. J'ai hâte de quitter votre beau quartier . . .

L'Architecte. Tiens! Vous voyez bien que vous avez changé d'avis!

Bérenger. Il ne faut pas m'en vouloir!

L'Architecte. Cela m'est égal. On ne m'a pas demandé de recruter des volontaires obligatoires, de les forcer d'habiter librement cet endroit. Personne n'est tenu de vivre dangereusement, si on n'aime pas cela! . . . On démolira le quartier lorsqu'il sera complètement dépeuplé.   910

Bérenger (qui se dépêche toujours, en tournant autour de l'Architecte). Il sera dépeuplé?

L'Architecte. Les gens se décideront bien à le quitter finalement . . . ou alors, ils seront tous tués. Oh, cela mettra un certain temps . . .

Bérenger. Partons, partons vite. *(Il tourne en rond, de plus en plus vite, tête baissée)* Les riches ne sont pas toujours heureux, non plus, ni les habitants des quartiers résidentiels . . . ni les radieux! . . . Il n'y a pas de radieux! . . . c'est encore pire que chez les autres, chez nous, les 920 fourmis! . . . Ah, Monsieur l'Architecte, j'en ressens une telle détresse. Je me sens meurtri, fourbu! . . . Ma fatigue m'a repris . . . l'existence est vaine! A quoi bon tout, à quoi bon tout si ce n'est que pour en arriver là? Empêchez cela, empêchez cela, Monsieur le Commissaire.

L'Architecte. Facile à dire.

Bérenger. Sans doute, êtes-vous aussi commissaire du quartier?

L'Architecte. En effet, j'exerce également cette fonction. 930 Comme tout architecte spécial.

Bérenger. Vous espérez bien l'arrêter avant de prendre votre retraite?

L'Architecte (froidement ennuyé). Vous pensez bien que nous faisons tout ce que nous pouvons! . . . Attention, pas par là, vous allez vous égarer, vous tournez tout le temps en rond, vous revenez tout le temps sur vos pas!

Bérenger (montrant du doigt, tout près de lui). Aïe! C'est toujours le même bassin?

L'Architecte. Un seul lui suffit. 940

Bérenger. Ce sont les mêmes noyés que tout à l'heure?

L'Architecte. Trois par jour, c'est une bonne moyenne, n'exagérons rien!

Bérenger. Guidez-moi! . . . Sortons! . . .

L'Architecte (le prenant par le bras, le guidant). Par là!

Bérenger. La journée avait si bien commencé! Je verrai toujours ces noyés, l'image ne quittera plus ma mémoire!

L'Architecte. Émotif comme vous l'êtes!

Bérenger. Tant pis, mieux vaut tout connaître, mieux vaut tout connaître! 950

(Changement d'éclairage. Lumière grise, légers bruits de la rue et du tramway.)

L'Architecte. Et voilà. Nous ne sommes plus dans la cité radieuse, nous avons franchi la grille. *(Il lâche le bras de Bérenger.)* Nous sommes sur le boulevard extérieur. Vous voyez, là? Vous avez votre tramway. C'est l'arrêt.

Berenger. Où donc?

L'Architecte. Là où se trouvent ces gens qui attendent. C'est le terminus. Le tramway repart en sens inverse, il vous transporte directement à l'autre bout de la ville, chez vous!

(On peut apercevoir en perspective, quelques rues sous un ciel de pluie, des silhouettes, de vagues lumières rouges. Le décorateur devra faire en sorte que tout devienne, TRÈS PROGRESSIVEMENT, plus réel. Le changement doit s'effectuer par l'éclairage et avec très peu d'éléments scéniques : des enseignes et des réclames lumineuses, dont celle d'un bistrot, à gauche, doivent apparaître graduellement, l'une après l'autre, pas plus que trois ou quatre en tout.)

Bérenger. Je suis glacé.   960
L'Architecte. En effet, vous grelottez!
Bérenger. C'est l'émotion.
L'Architecte. C'est le froid, aussi. *(Il tend la main pour sentir les gouttes de pluie.)* Il pleut. De l'eau mêlée de neige. *(Bérenger manque de glisser.)* Attention, ça glisse, le pavé est mouillé.
(Il le retient.)
Bérenger. Merci.
L'Architecte. Mettez votre pardessus. Vous allez vous enrhumer.
Bérenger. Merci. *(Il remet son pardessus, noue son cache-nez* 970 *autour du cou, fiévreusement.)* Brrr. Adieu, Monsieur le Commissaire!
L'Architecte. Vous n'allez pas rentrer tout de suite chez vous! Personne ne vous attend. Vous avez bien le temps de boire un verre. Cela vous fera du bien. Allez, laissez-vous faire, c'est l'heure de mon apéritif. Il y a un bistrot, là, près de l'arrêt, à deux pas du cimetière, on y vend aussi des couronnes.
Bérenger. Vous me semblez avoir repris votre bonne humeur. Moi, pas.   980
L'Architecte. Je ne l'ai jamais perdue.
Bérenger. Malgré . . .
L'Architecte (interrompant, tandis qu'apparaît l'enseigne du bistrot). Il faut regarder la vie en face, voyons! *(Il met la main sur la poignée d'une porte imaginaire, sous l'enseigne du bistrot.)* Entrons dans la boutique.

Bérenger. Je n'ai guère envie . . .

L'Architecte. Allez, passez.

Bérenger. Après vous, Monsieur le Commissaire.

L'Architecte. Passez, passez, je vous en prie. *(Il le pousse.* 990
*Bruit de la porte du bistrot. Ils entrent dans la boutique :
cela peut être le coin du plateau où se trouvaient, tout à
l'heure, la serre imaginaire, puis le bureau imaginaire de
l'Architecte. Ils iront s'asseoir sur deux chaises, devant la
petite table. Ils se trouvent, sans doute, près des grands carreaux de la boutique. Dans le cas où on aura fait disparaître
la table et les chaises de tout à l'heure, une table pliante peut
être apportée par le patron, lorsqu'il fera son apparition.
Deux chaises pliantes peuvent aussi être prises par terre, par
Bérenger et l'Architecte.)* Asseyez-vous, asseyez-vous. 1000
(Ils s'assoient.) Vous en avez une tête. Ne vous en faites
donc pas comme cela! Si on pensait à tous les malheurs
de l'humanité, on ne vivrait pas. Il faut vivre! Tout le
temps il y a des enfants égorgés, des vieillards affamés,
des veuves lugubres, des orphelines, des moribonds, des
erreurs judiciaires, des maisons qui s'effondrent sur les
gens qui les habitent . . . des montagnes qui s'écroulent
. . . et des massacres, et des déluges, et des chiens
écrasés . . . De cette façon, les journalistes peuvent
gagner leur pain. Toute chose a son bon côté. Finale-1010
ment, c'est le bon côté qu'il faut retenir.

Bérenger. Oui, Monsieur le Commissaire, oui . . . mais avoir
vu cela de près, de mes yeux vu . . . je ne puis demeurer
indifférent. Vous, vous avez peut-être l'habitude, dans
votre double profession.

L'Architecte (donnant une grosse tape sur l'épaule de Bérenger).
Vous êtes trop impressionnable, je vous l'ai déjà dit. Il
faut s'y faire. Allez, allez, un peu d'énergie, un peu de
volonté! *(Il lui donne une nouvelle grosse tape sur l'épaule.
Bérenger manque de dégringoler avec sa chaise.)* Vous avez1020
l'air bien portant, quoi que vous en disiez, et malgrè
votre mine déconfite! Vous êtes sain d'esprit et de corps!

Bérenger. Je ne dis pas le contraire. Les maux dont je souffre ne sont pas apparents, ils sont théoriques, spirituels.

L'Architecte. Je comprends cela.

Bérenger. Vous êtes ironique.

L'Architecte. Je ne me le permettrais pas. Des cas comme le vôtre, j'en ai vu pas mal, chez mes clients.

Bérenger. Ah oui, vous êtes aussi médecin.

L'Architecte. A mes heures perdues. Je fais un peu de méde- 1030 cine générale, j'ai remplacé un psychanaliste, j'ai été l'assistant d'un chirurgien, dans ma jeunesse, j'ai aussi étudié la sociologie . . . Allez, nous allons tâcher de vous consoler. *(Frappant dans ses mains.)* Patron!

Bérenger. Je ne suis pas, comme vous, un homme complet.

(On entend, venant de la coulisse gauche, la voix d'un clochard.)

Voix du Clochard (chantant) :

> En quitta-ant la mari-ine-e
> J'épousai-ai Marine-ette-e!

Voix du Patron (grosse voix). Tout de suite, Monsieur le Commissaire: *(Changement de ton. Au Clochard, toujours* 1040 *en coulisse :)* Fous-moi le camp d'ici, va te saouler ailleurs!

Voix du Clochard (pâteuse). C'est pas la peine, je suis déjà saoul!

(Poussé brutalement par le Patron, gros personnage brun, gros bras poilus, le Clochard, ivre, apparaît par la gauche.)

Le Clochard. Je me suis saoulé chez vous, j'ai payé, fallait pas me donner à boire!

Le Patron. Fous le camp, je te dis! *(A l'Architecte :)* Mes respects, Monsieur le Commissaire!

L'Architecte (à Bérenger). Vous voyez . . . Nous ne sommes plus dans le beau quartier, les mœurs sont déjà plus rudes. 1050

Le Clochard (toujours poussé par le Patron). Ben quoi!

Bérenger (à l'Architecte). Je m'en aperçois.

Le Patron (au Clochard). Allez ... Tu vois, Monsieur le
   Commissaire il est là!

Le Clochard. Je fais du mal à personne!

*(Toujours poussé, il trébuche, tombe de tout son long, se relève
   sans protester.)*

L'Architecte (au Patron). Deux verres de beaujolais.

Le Patron. Entendu. Pour vous, j'en ai du vrai. *(Au Clochard
   qui se relève :)* Sors et ferme ta porte, que je ne t'y
   reprenne plus!

(Il sort à gauche.)

L'Architecte (à Bérenger) Toujours abattu?   1060

Bérenger (geste dans le vague, désemparé). Que voulez-vous?

*(Apparaît le Patron avec les deux verres de vin, tandis que le
   Clochard mime la fermeture de la porte et quitte la boutique.)*

Le Patron. Voici vos beaujolais, Monsieur le Commissaire!

*Le Clochard (toujours titubant, sort de scène, par la droite, en
   chantonnant)* :

> En quitta-ant la mari-in-e,
> J'épousai-ai Marine-ett-e!

Le Patron (à l'Architecte). Vous voulez casser la croûte,
   Monsieur le Commissaire?

L'Architecte. Donnez-nous deux sandwiches.

Le Patron. J'ai un pâté de lapin épatant, c'est du pur porc!   1070

(Bérenger fait mine de vouloir payer.)

*L'Architecte (posant la main sur le bras de Bérenger pour l'en
   empêcher)*. Laissez, laissez, c'est ma tournée! *(Au Patron.)*
   C'est ma tournée!

Le Patron. Bien, Monsieur le Commissaire!

*(Il sort à gauche. L'Architecte avale une gorgée de vin. Béren-
   ger n'y touchera pas.)*

Bérenger (après un court silence). Au moins, si vous aviez son signalement!

L'Architecte. Mais nous l'avons. Du moins celui sous lequel il opère! Son portrait est affiché sur tous les murs. Nous avons fait de notre mieux.

Bérenger. Comment l'avez-vous eu?   1080

L'Architecte. On l'a trouvé, sur des noyés. Quelques-unes de ses victimes, rappelées à la vie pour un moment, ont pu même nous fournir des précisions supplémentaires. Nous savons aussi comment il s'y prend. Tout le monde le sait, d'ailleurs, dans le quartier.

Bérenger. Mais alors, pourquoi ne sont-ils pas plus prudents? Ils n'ont qu'à l'éviter.

L'Architecte. Ce n'est pas si simple. Je vous le dis, il y en a toujours, tous les soirs, deux ou trois qui tombent dans le piège.   1090

Bérenger. Je n'arrive pas à comprendre! *(L'Architecte avale une nouvelle gorgée de vin. Le Patron apporte les deux sandwiches et sort.)* Je suis stupéfait . . . Et l'histoire a plutôt l'air de vous amuser, Monsieur le Commissaire.

L'Architecte. Que voulez-vous? C'est tout de même assez intéressant! Tenez, c'est là . . . Regardez par la fenêtre. *(Il fait mine d'écarter un rideau imaginaire, ou, peut-être, aura-t-on pu faire se dérouler un rideau; l'Architecte montre du doigt vers la gauche.)* . . . Vous voyez . . . C'est là, à l'arrêt du tramway qu'il fait son coup. Lorsque des pas-1100 sagers en descendent pour rentrer chez eux, car les voitures individuelles ne circulent que dans la cité radieuse, il va à leur rencontre, déguisé en mendiant. Il pleurniche, comme ils font tous, demande l'aumône, tâche de les apitoyer. C'est le truc habituel. Il sort de l'hôpital, n'a pas de travail, en cherche, n'a pas où passer la nuit. Ce n'est pas cela qui réussit, ce n'est qu'une entrée en matière. Il flaire, il choisit la bonne âme, entame la conversation avec elle, s'accroche, ne la lâche pas d'une semelle. Il propose de lui vendre des menus objets qu'il sort de son1110 panier, des fleurs artificielles, des ciseaux, des bonnets de nuit anciens, des cartes . . . des cartes postales . . . des cigarettes américaines . . . des miniatures obscènes, n'importe quoi. Généralement, ses services sont refusés, la bonne âme se dépêche, elle n'a pas le temps. Tout en marchandant, il arrive avec elle près du bassin que vous connaissez. Alors, tout de suite, c'est le grand moyen : il offre de lui montrer la photo du colonel. C'est irrésistible. Comme il ne fait plus très clair, la bonne âme se penche, pour mieux voir. A ce moment, elle est perdue. Profitant 1120 de ce qu'elle est confondue dans la contemplation de l'image, il la pousse, elle tombe dans le bassin, elle se noie. Le coup est fait, il n'a plus qu'à s'enquérir d'une nouvelle victime.

Bérenger. Ce qui est extraordinaire, c'est qu'on le sache et qu'on se laisse surprendre quand même.

L'Architecte. C'est un piège, que voulez-vous! Il n'a jamais été pris sur le fait.

Bérenger. Incroyable, incroyable!

L'Architecte. Et pourtant vrai! *(Il mord dans son sandwich.)* 1130 Vous ne buvez pas? Vous ne mangez pas? *(Bruit du tramway qui arrive à la station. Bérenger, instinctivement, redresse vivement la tête, va écarter le rideau pour regarder par la fenêtre, en direction de l'arrêt du tramway.)* C'est le tramway qui arrive.

Bérenger. Des groupes de gens en descendent!

L'Architecte. Mais oui. Ce sont les habitants du quartier. Ils rentrent.

Bérenger. Je n'y vois aucun mendiant.

L'Architecte. Vous ne le verrez pas. Il ne se montrera pas. Il 1140 sait que nous sommes là.

Bérenger (tournant le dos à la fenêtre et venant s'asseoir, de nouveau; à l'Architecte, qui a également le dos tourné à la fenêtre). Peut-être feriez-vous bien de poster, à cet endroit, un inspecteur en civil, de façon permanente.

L'Architecte. Vous voulez m'apprendre mon métier. Techniquement, cela n'est pas possible. Nos inspecteurs sont débordés, ils ont autre chose à faire. D'ailleurs, eux aussi voudraient voir la photo du colonel. Il y en a eu déjà cinq de noyés, comme cela. Ah . . . si nous avions les preuves, 1150 nous saurions où le trouver!

(Soudain, un cri se fait entendre, ainsi que le bruit sourd d'un corps tombant dans l'eau.)

Bérenger (se levant en sursaut). Vous avez entendu?

L'Architecte (assis, mordant dans son pain). Il a encore fait son coup. Vous voyez comme c'est facile de l'en empêcher! A peine avez-vous tourné le dos, une seconde d'inattention, et ça y est . . . Une seconde, il ne lui en faut pas plus.

Bérenger. C'est terrible, c'est terrible!

(On entend des murmures, des voix agitées en provenance des coulisses, des bruits de pas, le bruit d'un car de police qui freine brusquement.)

Bérenger (se tordant les mains). Faites quelque chose, quelque chose . . . Intervenez, agissez!   1160

L'Architecte (calme, toujours assis, son sandwich dans la main, après avoir bu une gorgée). C'est bien trop tard. Il nous a eus par surprise, une fois de plus . . .

Bérenger. Ce n'est peut-être qu'une grosse pierre qu'il aura jetée à l'eau . . . pour nous taquiner!

L'Architecte. Cela m'étonnerait. Et le cri? *(Entre le Patron, par la gauche.)* Nous saurons tout, d'ailleurs. Voici notre indicateur!

Le Patron. C'est la jeune fille, la blonde . . .

Bérenger. Dany? Mademoiselle Dany? Ce n'est pas possible! 1170

L'Architecte. Si. Pourquoi pas. C'est ma secrétaire, mon ex-secrétaire. Je lui avais pourtant bien déconseillé de quitter mon service. Elle était à l'abri.

Bérenger. Mon Dieu, mon Dieu, mon Dieu!

L'Architecte. Elle était dans l'Administration! Il ne s'attaque pas à l'Administration! Mais non, elle a voulu sa «liberté»! Ça lui apprendra. Elle l'a maintenant, sa liberté. Je m'y attendais . . .

Bérenger. Mon Dieu, mon Dieu! La malheureuse . . . Elle n'a pas eu le temps de me dire «oui»! . . .   1180

L'Architecte (continuant). J'étais même sûr que cela lui arriverait! Ou alors ne pas mettre le nez dans le quartier, une fois qu'elle aurait quitté l'Administration.

Bérenger. Mademoiselle Dany!! Mademoiselle Dany!! Mademoiselle Dany!!

(Ton des lamentations.)

L'Architecte (continuant). Ah! la manie des gens d'en faire à leur tête et surtout, surtout, la manie des victimes de toujours revenir sur les lieux du crime! C'est comme cela qu'elles se font prendre!

Bérenger (sanglotant presque). Ooh! Monsieur le Commissaire, 1190 Monsieur le Commissaire, c'est Mademoiselle Dany, Mademoiselle Dany!

(Il s'écroule sur sa chaise, effondré.)

L'Architecte (au Patron). Que l'on fasse le procès-verbal, pour la forme. *(Il prend, dans sa poche, l'appareil téléphonique.)* Allô? . . . Allô? . . . Encore un . . . c'est une jeune femme . . . Dany . . . celle qui travaillait chez nous . . . Pas de flagrant délit . . . Des suppositions . . . les mêmes . . . oui! . . . Un instant!

(Il pose l'appareil sur la table, car) :

Bérenger (se lève brusquement). On ne peut pas, on ne doit pas laisser cela comme ça! Ça ne peut plus aller! Ça ne peut 1200 plus aller!

L'Architecte. Calmez-vous. Nous sommes tous mortels. Ne compliquez pas la marche de l'enquête!

Bérenger (sort en courant, claquant la porte imaginaire de la boutique, qui s'entend cependant). Ça n'ira pas comme ça! Il faut faire quelque chose! Il faut, il faut, il faut!

(Il sort de scène, par la droite.)

Le Patron. Au revoir, Monsieur! *(A l'Architecte :)* Il pourrait dire « au revoir ».

L'Architecte *(assis, le suit du regard, ainsi que le Patron qui est debout, les bras croisés ou les mains sur les hanches; puis, une fois que Bérenger est sorti, l'Architecte boit d'un trait le reste de son vin et dit au Patron en montrant le verre plein de Bérenger)*. Buvez-le! Prenez aussi le sandwich!

(Le Patron s'assoit à la place de Bérenger.)

L'Architecte *(au téléphone)*. Allô! Pas de preuves! Classez l'affaire!

(Il remet l'appareil dans sa poche.)

Le Patron *(buvant)*. A la vôtre!

(Il entame le sandwich.)

Rideau.

ACTE II

DÉCOR

La chambre de Bérenger. Pièce obscure, basse de plafond, avec, face à la fenêtre, un centre plus lumineux. Près de cette fenêtre large et basse, un bahut. A la droite du bahut, un recoin sombre; dans ce recoin très obscur, un fauteuil de style régence, en assez mauvais état, dans lequel, au lever du rideau, silencieux, Édouard est assis. Au début de l'acte, celui-ci ne se voit pas, le fauteuil non plus, à cause de l'obscurité qui règne dans la chambre de Bérenger située au rez-de-chaussée. Au milieu, dans la partie un peu plus claire, devant la fenêtre, une grande table, avec des cahiers, des papiers, un livre, un encrier, un porte-plume de fantaisie, imitant une plume d'oie.

Un fauteuil rouge, usé, auquel il manque un bras, à un mètre de la table, à gauche. Des recoins sombres encore, dans le mur de gauche.

Dans le reste de la pièce, dans la pénombre, on aperçoit les contours de vieux meubles : un vieux secrétaire, une commode, au-dessus de laquelle se trouve, accrochée au mur, une tapisserie usée. Il y a encore une chaise ou un autre fauteuil rouge. Près de la fenêtre, à droite, une petite table, un tabouret, une étagère avec quelques livres. Sur la planche supérieure, un vieux gramophone.

Au premier plan, à gauche, la porte donnant sur le palier. Pendu au plafond, un lustre ancien : par terre un vieux tapis décoloré. Sur le mur de droite, une glace au cadre baroque, qui brille à peine au début de l'acte, si bien que l'on ne saura pas encore, au début de cet acte, de quel objet il s'agit. Sous la glace une vieille cheminée.

Par la fenêtre, dont les rideaux sont écartés, on voit la rue, les fenêtres du rez-de-chaussée d'en face, une partie de la devanture d'une épicerie.

Le décor du deuxième acte est lourd, laid, et contraste fortement avec l'absence de décor ou le décor uniquement de lumières du premier acte.

Au lever du rideau, la fenêtre éclaire d'une lumière blafarde, jaunâtre, le centre du plateau avec la table du milieu. Les murs de la maison d'en face sont d'une couleur gris sale. Dehors, le temps est sombre, il neige et il pleut finement.

Assis dans le fauteuil, dans le coin le plus sombre de la chambre de Bérenger, à droite de la fenêtre, Édouard ne se voit et ne s'entend pas, au début de l'acte. On le verra, plus tard, après l'arrivée de Bérenger, mince, très pâle, l'air fiévreux, vêtu de noir, crêpe de deuil à son bras droit, chapeau noir de feutre, pardessus noir, souliers noirs, chemise blanche au col amidonné, cravate noire. De temps en temps, mais toujours seulement après l'arrivée de Bérenger, Édouard toussera ou toussotera, de temps à autre; il crachera dans un grand mouchoir blanc, bordé de noir, qu'il remettra délicatement dans sa poche. Quelques instants avant le lever du rideau, puis au lever du rideau, on entend, venant de gauche, c'est-à-dire du palier de l'immeuble, la voix de la Concierge.

Voix de la Concierge (chantant) :

> Quand il fait froid, il fait pas chaud,
> quand il fait chaud, c'est qu'il fait froid!

Ah là là, on peut balayer tant qu'on peut, c'est sale toute la journée avec leur poussière de charbon et leur neige!

(Bruit du balai qui cogne la porte puis, de nouveau, on entend chanter la Concierge.)

> Quand il fait froid, il fait pas chaud,
> Quand il fait chaud, c'est qu'il fait froid!
> Quand il fait froid, est-ce qu'il fait chaud?
> Quand il fait chaud, fait-il donc froid?
> Que fait-il donc quand il fait froid?   10

(En même temps que le chant de la Concierge, on entend des coups de marteau venant de l'étage supérieur, un poste de T. S. F. en marche, des bruits, tantôt se rapprochant,

tantôt s'éloignant, de camions et de motocyclettes : à un moment donné, on entendra, également, les bruits d'une cour d'école pendant la récréation : tout cela un peu déformé, caricaturé, les cris des écoliers doivent ressembler à des glapissements : il s'agit donc d'un enlaidissement mi-désagréable, mi-comique du vacarme.)

Voix d'un Homme (précédée de bruits de pas dans l'escalier, des aboiements d'un chien). Bonjour, Madame la Concierge.

Voix de la Concierge. Bonjour, Monsieur Lelard! Vous partez bien tard, aujourd'hui!

Voix d'un Homme. J'ai eu du travail à la maison. J'ai dormi. Maintenant, ça va mieux. Je vais porter mes lettres à la poste.

Voix de la Concierge. Drôle de métier! Toujours dans vos paperasses! Vous devez penser tout le temps, pour écrire vos lettres. 20

Voix d'un Homme. Ce n'est pas pour écrire, c'est pour les envoyer que je dois penser.

Voix de la Concierge. Dame! Il faut savoir à qui on les envoie! On peut pas les envoyer à n'importe qui! Il faut pas non plus que ce soit les mêmes personnes!

Voix d'un Homme. Il faut bien gagner sa vie, à la sueur de son front, comme dit le prophète.

Voix de la Concierge. Aujourd'hui, il y a trop d'instruction, c'est pour cela que ça va mal. Même pour balayer, c'est moins commode qu'avant. 30

Voix d'un Homme. Il faut bien gagner sa vie quand même, pour payer les impôts.

Voix de la Concierge. Le meilleur métier c'est d'être ministre. Ceux-là, ils payent pas leurs impôts, ils les touchent.

Voix d'un Homme. Eux aussi, les pauvres, doivent gagner leur vie, comme tout le monde.

Voix de la Concierge. Ma foi, les riches, ils sont peut-être aussi pauvres que nous, s'il en reste, de ces temps-ci.

Voix d'un Homme. Dame, c'est cela la vie!

Voix de la Concierge. Dame, oui, hélas!   40

Voix d'un Homme. Dame oui, Madame.

Voix de la Concierge. Dame oui, Monsieur. On se donne un mal de chien pour aller tous au même endroit, dans le trou. C'est là qu'est mon mari, il est mort depuis quarante ans, c'était hier. *(Aboiement du chien dans l'entrée.)* Ta gueule, Trésor. *(Elle doit donner un coup de balai à son chien, car on entend ses cris plaintifs. Claquement d'une porte.)* Rentre chez toi. *(Au Monsieur, sans doute.)*   Allez, au revoir, Monsieur Lelard. Attention, ça glisse, dehors, c'est tout mouillé les trottoirs. Ah! ce temps de chien!   50

Voix d'un Homme. Justement. On parlait de la vie. Il faut être philosophe, Madame la Concierge, que voulez-vous!

Voix de la Concierge. Ne m'en parlez pas des philosophes, je m'étais mis dans la tête de suivre les conseils des stoïciens, et de faire dans la contemplation. Ils m'ont rien appris, pas même Marc-Aurèle. Ça ne sert à rien, finalement. Il était pas plus malin que vous et moi. Il faut trouver chacun sa solution. S'il y en avait, mais y en a pas.

Voix d'un Homme. Dame . . .

Voix de la Concierge. Et pas avoir de sentiments, où les caser   60
ceux-là? Ça n'entre pas dans nos échelles de valeurs. Qu'est-ce que j'en ferais, moi, pour balayer mon escalier?

Voix d'un Homme. Je ne les ai pas lus, moi, les philosophes.

Voix de la Concierge. Dame, vous avez ben raison. Voilà ce que c'est d'être quelqu'un d'instruit, comme vous. La philosophie, c'est tout juste bon pour les éprouvettes. C'est pour leur donner des couleurs, même pas.

Voix d'un Homme. Faut pas dire ça.

Voix de la Concierge. Les philosophes, c'est seulement bon pour nous, les concierges.   70

Voix d'un Homme. Faut pas dire ça, Madame, c'est bon pour tout le monde.

Voix de la Concierge. Je sais ce que je dis. Vous, vous ne lisez que les bons livres. Moi, c'est les philosophes, parce que j'ai pas d'argent, des philosophes à quatre sous. Vous, si

vous n'avez pas d'argent non plus, au moins vous avez
vos entrées à des bibliothèques. Vous avez le choix . . . et à
quoi ça sert, je vous le demande, vous qui savez tout?

Voix d'un Homme. Je vous le dis, la philosophie ça sert à connaître la philosophie de la vie!   80

Voix de la Concierge. Je m'y suis faite à la philosophie de la vie!

Voix d'un Homme. C'est une vertu, Madame la Concierge!

(Coup de balai dans le bas de la porte de la chambre de Bérenger.)

Voix de la Concierge. Oh là, là, c'que c'est salissant cette maison! c'est la boue!

Voix d'un Homme. Ce n'est pas ça qui manque. Allez, je m'en
vais, cette fois, c'est urgent. Au revoir, Madame la Concierge, bon courage!

Voix de la Concierge. Merci, Monsieur Lelard! *(Claquement
violent de la porte d'entrée.)* Ah, c'qu'il est malin,
l'imbécile, il va encore casser la porte, c'est pas moi qui   90
vais la payer!

Voix d'un Homme (poliment). Vous avez dit quelque chose,
Madame la Concierge?

Voix de la Concierge (plus poliment encore, mielleuse). Rien du
tout, Monsieur Lelard, je causais comme ça, toute seule,
pour apprendre à parler! Ça passe le temps!

(Coup de balai dans le bas de la porte de la chambre d'Édouard.)

Voix d'un Homme. Il m'avait bien semblé que vous m'ap-
peliez. Je m'excuse.

Voix de la Concierge. Dame, on se trompe, Monsieur. Ça
arrive! y a pas de mal! *(Nouveau claquement violent de la*   100
porte d'entrée.) Il a fichu le camp! Ah celui-là, on a
beau lui dire cent mille fois la même chose, il comprend
pas, avec ses portes. C'est à croire qu'il est sourd! Il fait
semblant, il entend très bien!

(Elle chante) :

Quand il fait froid, il fait pas chaud . . .

(Glapissements plus assourdis du chien.)

Tais-toi, Trésor! Ah, il vaut rien ce chien-là! Attends, tu vas voir, un bon coup sur la gueule.

(On entend s'ouvrir la porte de la loge. Hurlements du chien. Claquement de la même porte.)

Voix d'une Second Homme (précédée du bruit de quelques pas; accent légèrement étranger). Bonjour, Madame la Concierge. Mademoiselle Colombine habite-t-elle ici? 110

Voix de la Concierge. J'connais pas ce nom-là! Y a pas d'étrangers dans la maison, c'est que des Français!

Voix du Second Homme (en même temps, venant du dessus, la radio se fait entendre très fort). On m'a pourtant dit qu'elle habitait au cinquième étage de cet immeuble.

Voix de la Concierge (criant, pour se faire entendre). J'connais pas ce nom-là, je vous dis!

Voix du Second Homme. Plaît-il, Madame?

(Venant de la droite, dans la rue, gros bruit d'un camion qui, au bout de deux secondes, freine brusquement.)

Voix de la Concierge (toujours criant). Je vous répète que je connais pas ça. 120

Voix du Second Homme. C'est bien le numéro 13 de la rue La Douzaine, cependant?

Voix de la Concierge (même jeu) De quoi?

Voix du Second Homme (plus forte). C'est bien le numéro 13! . . .

Voix de la Concierge (hurlant). Criez pas si fort. Je vous entends. Bien sûr, c'est le numéro 13 de la rue La Douzaine. Vous savez pas lire en français, c'est écrit sur les écriteaux!

Voix du Second Homme. Alors, c'est tout de même ici que 130 demeure Mademoiselle Colombine!

Voix d'un Camionneur (dans la rue). Apprends à conduire!

Voix de la Concierge. Je le sais mieux que vous!

84

Voix d'un Chauffeur (dans la rue). Pourquoi me tutoies-tu?
Tu sais pas dire « vous »?

Voix de la Concierge. Ah, j'y suis, Mademoiselle Colombine,
c'est peut-être la concubine de Monsieur Polisson?

Voix du Camionneur (dans la rue). Salaud! Satyre!

Voix du Second Homme. Oui . . . C'est ça! Pélisson!

Voix de la Concierge. Pélisson, Polisson, c'est pareil!   140

Voix du Chauffeur (dans la rue). Tu peux pas être poli? Charogne!

Voix de la Concierge. Alors, c'est la rouquine! Si c'est elle,
elle habite là, je vous l'avais dit pourtant! Fallait vous
expliquer! Prenez l'ascenseur.

Voix du Camionneur (dans la rue). Salaud! Mal poli!

Voix du Chauffeur (dans la rue). Salaud! Mal poli!

*(Bruits conjugués de l'ascenseur qui monte, de la radio, des
voitures dans la rue qui repartent, puis d'une motocyclette
pétaradant; on voit, en une seconde, le motocycliste passer,
dans la rue, devant la fenêtre.)*

Voix de la Concierge (fort). N'oubliez surtout pas de refermer la porte de l'ascenseur! *(Pour elle.)* Ils n'y pensent
jamais, surtout les étrangers!   150

(Elle chante) :

On n'avance pas, sûrement, quand on piétine sur place.
Mais avance-t-on vraiment quand on se dé-pla-place?

*(On entend claquer la porte de la loge; la Concierge y est entrée;
jappements du chien; voix plus assourdie de la Concierge)* :

Mais oui, mais oui, mon petit Trésor! Qui n'a pas son su-
sucre? Tiens, le voilà ton su-sucre! *(Jappements.)* Ta
gueule!

*(Hurlement du chien.
Par la gauche, dans la rue, deux passants, que l'on voit à travers
la fenêtre, apparaissent. On peut aussi seulement les enten-*

85

dre parler, sans les voir. Il vaut mieux, cependant, les voir.
Ce sont deux Vieillards, tout cassés, qui marchent pénible-
ment, à petits pas, en s'aidant de leurs bâtons.)

Le Premier Vieillard. Quel mauvais temps.
Le Deuxième Vieillard. Quel mauvais temps.
Le Premier Vieillard. Que disiez-vous?
Le Deuxième Vieillard. Quel mauvais temps. Que disiez-vous?
Le Premier Vieillard. Je disais : quel mauvais temps.   160
Le Deuxième Vieillard. Appuyez-vous sur mon bras, pour ne
      pas glisser.
Le Premier Vieillard. Appuyez-vous sur mon bras, pour ne
      pas glisser.
Le Deuxième Vieillard. J'ai connu des gens très brillants, très
      brillants.
Le Clochard (apparaît par la droite sur le trottoir opposé. Il
      chante) :
                En quitta-ant la mari-i-ne!

(Il regarde, en haut vers les fenêtres, d'où peuvent tomber les
      pièces de monnaie.)

Le Premier Vieillard. Que faisaient-ils ces gens brillants?   170
Le Deuxième Vieillard. Ils brillaient beaucoup!
Le Clochard :
                J'épousai-ai Marine-ettee!

Le Premier Vieillard. Et où brillaient-ils ces gens brillants?

(Même jeu du Clochard.)

Le Deuxième Vieillard. Ils brillaient en société, ils brillaient
      dans les salons!... Ils brillaient partout!
Le Premier Vieillard. Quand est-ce que vous les avez connus,
      ces gens brillants?

Le Clochard (même jeu) :

                En quitta-ant la mari-i-ne . . .

(Tout en regardant en direction des fenêtres des étages supérieurs, il se dirige vers la gauche, disparaît.)

Le Deuxième Vieillard. Autrefois, autrefois . . .   180
Le Premier Vieillard. Les voyez-vous encore, parfois?
*L'Épicier (sortant de la boutique d'en face, l'air furieux, lève la
tête vers la fenêtre du premier étage).* Eh Madame!
Le Deuxième Vieillard. Ah! Mon cher, il n'y en a plus de ces
gens qui brillent . . . *(on le voit disparaître par la droite,
on l'entend)* cela a disparu. Je n'en connais plus que deux,
aujourd'hui . . . de ces gens brillants . . .
L'Épicier. Eh, Madame! Pour qui me prenez-vous?
Voix du Deuxième Vieillard. . . . plus que deux. L'un est à la
retraite, et l'autre est décédé!   190

(On voit disparaître aussi le premier Vieillard.)

L'Épicier (même jeu). Non . . . mais pour qui me prenez-vous,
Madame?
Voix du Clochard (chantant) :

     Le capitain' de corve-ette-e . . .

L'Épicier (même jeu). Pour qui me prenez-vous? Je suis com-
merçant, moi, Madame, je ne vends pas la mèche!

(Il rentre furieusement dans sa boutique.)

Voix du Clochard (s'éloignant) :

     M'appela et me dit
     Épous' ta Marine-ette,
     Si le cœur-e t'en dit . . .   200

Voix du Premier Vieillard (s'éloignant) Même s'il y en avait,
on ne s'en apercevrait pas. Les brillants ne brillent plus.

*(De la droite, les bruits de la récréation qui, depuis un moment,
s'entendaient moins fort, redoublent d'intensité. Clochette.)*

Voix du Maître d'école. En classe! En classe! En classe!

Une Voix (venant de la rue). Nous avons cinquante-huit garçons livreurs . . .

Voix du Maître d'école. Silence! *(Piétinements, cris, bruits de
pupitres, etc., venant de la droite.)* Silence, silence!

Voix (venant de la rue). Nous avons cinquante-huit garçons
livreurs!

(A l'école, les enfants se sont tus.)

Voix du Maître d'école. Leçon d'histoire : les représentants   210
du peuple vinrent devant les grilles du palais de la reine
Marie-Antoinette. Ils criaient :

Voix (venant de la rue). Nous avons cinquante-huit garçons
livreurs.

Voix du Maître d'école. Ils criaient : «Nous n'avons plus de
brioches, Majesté, donnez-nous-en. — Il n'y en a plus»,
répondit la reine.

Voix (venant de la rue). Nous avons cinquante-huit garçons
livreurs.

Voix du Maître d'école. Il n'y en a pas, vous n'avez qu'à man-   220
ger du pain. Alors le peuple se fâcha. On coupa la tête de
la reine. Quand la reine se vit sans tête, elle en fut tellement vexée qu'elle eut un coup de sang. Elle n'a pas
survécu, malgré les médecins qui n'étaient pas bien
savants à l'époque.

Une Voix (dans la rue). Nous avons cinquante-huit garçons
livreurs.

Une Grosse Voix (dans la rue). Nous étions à sept mille mètres
d'altitude, quand soudain je vis une aile de notre avion
se décoller.   230

Autre Voix (fluette). Mince alors.

La Grosse Voix. Je me dis, bon, il en reste encore une. Les
passagers se sont mis tout d'un côté pour équilibrer
l'avion, qui volait avec une seule aile.

La Voix fluette. Avez-vous eu peur?

La Grosse Voix. Attendez . . . tout d'un coup l'avion perdit

sa deuxième aile et ses moteurs . . . et ses hélices . . . et
nous étions à sept mille mètres !

La Voix fluette. Aïe !

La Grosse Voix. Je me dis, cette fois, nous sommes perdus . . .   240
(la voix s'éloigne) nous sommes perdus, rien à faire . . . Eh
bien savez-vous comment nous nous en sommes tirés ?
Je vous le donne en mille . . .

Autre Voix dans la rue. Nos cinquante-huit garçons livreurs
perdent trop de temps quand ils vont uriner. Cinq fois
par jour, en moyenne, ils interrompent les livraisons pour
satisfaire leurs besoins personnels. Ce temps n'est pas
déduit de leurs salaires. Ils en profitent, il faut les disci-
pliner : qu'ils fassent pipi une seule fois par mois, à tour
de rôle, pendant quatre heures et demie sans interruption.   250
Cela économiserait toutes les allées et venues qui nous
sont si coûteuses. Les chameaux aussi peuvent emmaga-
siner de l'eau.

Première Voix (venant d'en bas). Je prends le chemin de fer.
Je vais dans mon compartiment, je prends ma place qui
était réservée. Le train part. Au même instant, arrive le
monsieur qui avait la même place, le même numéro que
moi. Par courtoisie, je lui cède ma place, je vais dans le
couloir, il dit à peine merci. Je reste debout deux heures.
Au bout de deux heures, le train s'arrête à une gare, le   260
monsieur descend du train. Je reprends ma place, parce
que c'était d'abord ma place. De nouveau, le train dé-
marre. Au bout d'une heure, le train s'arrête à une autre
gare. Voilà le monsieur qui remonte, il veut reprendre
sa place. Juridiquement, avait-il le droit de la reprendre ?
C'était ma place, aussi bien que la sienne, mais il pré-
tendait avoir un droit du second occupant. Nous avons
eu un procès. Le juge me dit qu'il avait des prérogatives
supplémentaires, car ce monsieur était évêque et critique
et que c'est par modestie qu'il avait tenu secrets ses titres.   270

Autre Voix d'en bas. Qui était ce monsieur ?

Première Voix d'en bas. Un critique, un évêque. Morvan, l'évêque, l'évêque du Morvan.

L'autre Voix d'en bas. Comment a-t-il fait pour rattraper le train?

Première Voix d'en bas. Il avait pris des raccourcis.

Une Voix dans la rue (plus proche). Nous avons cinquante-huit garçons livreurs.

(Les deux Vieillards réapparaissent par l'autre côté, dans la rue; c'est-à-dire par la gauche.)

Le Premier Vieillard. On m'a invité au dîner de noces, bien sûr . . . Je n'ai pas été content, parce que, moi, je n'aime 280 que le coq au vin.

Le Deuxième Vieillard. On ne vous a pas servi de coq au vin?

Le Premier Vieillard. Si. Mais on ne m'a pas dit que c'était du coq au vin, alors c'était pas bon quand j'ai mangé.

Le Deuxième Vieillard. Est-ce que c'était vraiment du coq au vin?

Le Premier Vieillard. C'était du coq au vin. Mais comme je ne l'ai pas su, c'était un dîner raté.

Le Deuxième Vieillard. J'aurais bien voulu être invité à votre place. Parce que moi, j'aime les dîners ratés. 290

(Les Vieillards disparaissent.)

Voix dans la rue. Nous avons cinquante-huit garçons livreurs.

Voix (venant de droite). Il faut sérieusement poser le problème de notre financement.

Voix d'en haut. La question a-t-elle été envisagée par la délégation des sous-délégués?

Voix (venant de gauche). Il faut sérieusement poser le problème de leur financement.

Voix venant d'en haut. Il faut sérieusement poser le problème du financement de nos garçons livreurs.

Autre Voix venant de gauche. Non, la question a été résolue par 300 la sous-délégation des délégués.

Voix venant de droite. Que voulez-vous, la production c'est la production! Il faut repenser la question, la repenser à la base.

Voix venant de gauche. Avec nos contremaîtres, nos vice-maîtres, nos paramaîtres et nos périmaîtres, nous allons constituer une base organisationnelle, un comité de mise en commun.

Voix d'en haut. Les maîtres et les périmaîtres constitueront des comités d'entreprise des sociétés d'entrepreneurs qui 310 constitueront des groupes sociaux . . .

Voix venant de droite. Il y a le principe organisationnel de la base et le point de vue organisationnel de la supra-structure.

Voix de gauche. Et nos cinquante-huit garçons livreurs?

Voix d'en haut. Après le travail, il faut organiser la détente.

Voix d'en bas. Une détente très sévère.

Voix de gauche. Il faut forcer la détente.

(Pour quelques secondes un brouillard épais assombrit la scène; pendant ce temps, les bruits du dehors s'assourdissent; on n'entend plus que des bribes de mots indistincts.)

Voix de la Concierge (après un claquement de portes dans l'entrée). Ah, quand le brouillard se mêle à la fumée de 320 l'usine, on n'entend plus rien! *(Bruit très puissant d'une sirène d'usine.)* Heureusement, il y a les sirènes!

(Le brouillard s'est dissipé, et on voit, de l'autre côté de la rue, le Clochard qui chante.)

Voix du Clochard :

> Le commandant en second
> M'appela et me dit
> Épouse ta Marine-ette,
> Épouse ta Marine-ette.

(Les bruits de la rue sont plus éloignés pour permettre le jeu qui va suivre.)

Le Clochard :

> Tu fus un bon marin,
> Sois donc un bon mari! 330

(On entend, dans l'entrée, le claquement d'une porte.)

Voix de la Concierge (tandis que le Clochard, en fredonnant, regarde vers les fenêtres d'où doivent tomber les pièces de monnaie, qu'il enlève son vieux chapeau défoncé, salue dans le vide, s'est avancé vers la fenêtre et se trouve au milieu de la rue). Ne claquez pas la porte comme ça.

Voix d'une Femme (dans l'entrée). A vous aussi, ça vous arrive de la claquer. Je n'ai pas fait exprès.

Voix de la Concierge. Oui, mais moi c'est parce que je ne fais pas attention.

Le Clochard (dans la rue, il regarde vers les fenêtres). Salut, 340 M'sieurs-Dames! Merci, M'sieurs-Dames. *(Il bougonne car les pièces de monnaie ne tombent pas.)* Ils sont pas généreux, ah là là là là.

Voix de la Concierge (qui chante) :

> Quand il fait chaud,
> c'est qu'il fait froid!

Le Clochard (pendant que la Concierge répète le même refrain, a traversé la rue; un motocycliste le frôle par derrière, en passant à toute allure; on entend la voix du motocycliste : « Espèce de . . . »). Sois donc un bon mari! . . . 350

(Il s'est approché tout à fait de la fenêtre et, tout en fredonnant) :

> Mais méfie-toi quand même,
> Mais méfie-toi quand même! . . .

(Il regarde par la fenêtre, dans la chambre de Bérenger, en collant son visage et son nez, qui s'aplatit, contre la vitre fermée.)

La Concierge (fait son apparition sur le trottoir, qu'elle balaie tout en fredonnant, puis se cogne contre le Clochard). Qu'est-ce que tu fais là, toi?

92

Le Clochard. Je chante!

La Concierge. Tu salis les carreaux! C'est mon locataire! C'est moi qui les nettoie.

Le Clochard (ironique). Oh! pardon, Madame. Je ne savais 360 pas. Faut pas vous fâcher.

La Concierge. Allez, va-t'en, pas d'histoires!

Le Clochard (toujours un peu goguenard et un peu ivre). J'ai entendu ça plus de mille fois. Vous êtes bien banale, Madame.

La Concierge (le menaçant du balai). Je vais t'en donner, moi, des appréciations.

Le Clochard. C'est pas la peine, Madame, je m'en vais, Madame, pardon!

(Il s'éloigne; on l'entend fredonner) :

> En quittant la mari-i-ne   370
> J'épousai Marine-ette!

La Concierge (toujours dans la rue, près de la fenêtre, se retourne brusquement, après qu'on a entendu l'aboiement de son chien). Ta gueule!... Le facteur! *(Au Facteur.)* C'est pour qui, Monsieur le Facteur?

Voix du Facteur. C'est une dépêche pour Monsieur Bérenger!

La Concierge. C'est au rez-de-chaussée. A droite.

Voix du Facteur. Merci.

La Concierge (menaçant du balai dans la direction du Clochard que l'on ne voit plus). Salaud. *(Haussant les épaules.)* Il 380 n'est pas plus marin que moi. *(On entend le Facteur frapper à la porte de Bérenger, tandis que la Concierge balaie le trottoir.)* Ah, ces cacas de chien, c'est pas le mien qui ferait ça.

Voix du Facteur. Ça répond pas.

La Concierge (au facteur que l'on ne voit pas). Frappez plus fort. Il est là.

Voix du Facteur. Je vous dis que ça ne répond pas!

La Concierge. Ça ne sait même pas frapper à une porte!

(Elle disparaît dans l'entrée.)

Voix de la Concierge. Il peut pas être sorti. Je connais tout de 390
même ses habitudes. C'est mon locataire. Et même que
je fais son ménage. Je nettoie ses carreaux.
Voix du Facteur. Essayez!

*(On entend frapper fortement, des coups répétés, à la porte de la
chambre de Bérenger.)*

Voix de la Concierge (qui frappe à la porte). Monsieur Béren-
ger, Monsieur Bérenger! *(Silence. Nouveaux coups.)*
Monsieur Bérenger! Monsieur Bérenger!
Voix du Facteur. Qu'est-ce que je vous avais dit!
Voix de la Concierge. Ça c'est trop fort! Il peut pas être sorti.
Peut-être qu'il dort, mais c'est pas dans ses habitudes!
Frappez plus fort. Moi, je vais voir! 400

*(Le Facteur continue de frapper. La Concierge réapparaît
devant la fenêtre; elle colle contre le carreau, son visage qui,
naturellement, doit être hideux; il s'enlaidit encore davantage, par l'aplatissement du nez contre la vitre.)*

La Concierge. Monsieur Bérenger! Dites, Monsieur Bérenger!

(En même temps, on entend le Facteur frapper à la porte).

Voix du Facteur. Monsieur Bérenger, une dépêche, Monsieur Bérenger!
La Concierge. Monsieur Bérenger, il y a une dépêche pour
vous . . . Ça, par exemple! *(Pause.)* Où est-ce qu'il peut
bien être? Il n'est jamais chez lui! *(Elle frappe de nouveau
à la fenêtre, tandis que l'on entend toujours les coups à la
porte, du Facteur.)* Y a des gens qui se promènent, ils
n'ont rien d'autre à faire et nous on s'esquinte! . . . Il est 410
pas là!

*(Elle disparaît, elle doit être près de l'entrée; on voit, au coin de
la fenêtre son bras et son manche à balai s'agiter.)*

94

Voix du Facteur. S'il n'est pas là, il n'est pas là. Vous disiez
   qu'il restait tout le temps chez lui!
Voix de la Concierge. J'ai jamais dit ça! Passez-moi la dépêche,
   je la lui donnerai! *(Elle disparaît complètement.)* C'est
   moi qui nettoie ses carreaux!
Voix du Facteur. Je n'ai pas le droit de vous la donner. Je ne
   peux pas.
Voix de la Concierge. Tant pis alors, gardez-la.
Voix du Facteur. Je vous la donne quand même. La voilà.   420
Voix de la Concierge. Faudra encore que je guette qu'il
   vienne! Ah, là là!...

*(Pause. Les bruits ont cessé brusquement, après que s'est arrêté,
   progressivement, le sifflet d'une dernière sirène. Peut-être
   aura-t-on pu entendre aussi, une dernière fois, une invective
   de la concierge à l'adresse de son chien, suivie du glapisse-
   ment de celui-ci. Quelques instants de silence. Puis, on voit
   passer dans la rue, au ras de la fenêtre, en venant de la
   droite, Bérenger qui rentre chez lui. Il est vêtu de son pardessus, tient, nerveusement, de la main droite qu'il balance
   fortement, son chapeau. Il marche tête baissée. Une fois qu'il
   a dépassé le champ de la fenêtre, on entend ses pas dans
   l'entrée. On entend la clef tourner dans la serrure.)*

Voix de la Concierge (très polie). Tiens, vous voilà, Monsieur
   Bérenger. Vous avez fait une bonne promenade? Vous
   avez raison de prendre l'air! Vous en avez besoin!
Voix de Bérenger. Bonjour, Madame.
Voix de la Concierge. Si vous vous êtes promené, c'est que
   vous êtes sorti. Je ne vous ai pas entendu partir. Pourquoi
   n'avez-vous pas prévenu, je n'ai pas eu la clef pour faire
   votre ménage. Comment savoir? J'aurais bien voulu. Vous   430
   avez reçu une dépêche! *(Pause. Bérenger s'est interrompu
   d'ouvrir sa porte, il doit lire la dépêche.)* C'était peut-être
   pas urgent? Alors je l'ai lue. C'est le marchand de bric-à-
   brac. Ils vous demande d'urgence. Faut pas vous in-
   quiéter.

*(On entend de nouveau grincer la clef de la serrure. La porte de
la chambre de Bérenger s'ouvre doucement. On entend la
Concierge bredouiller avec colère des paroles inintelligibles,
claquer la porte de sa loge, le chien gémir; on voit apparaître,
dans la mi-obscurité de la pièce, la silhouette de Bérenger.
Il s'avance, à pas lents, vers le milieu de la scène. Le silence
est total. Bérenger appuie sur le bouton électrique, la scène
s'éclaire. On aperçoit, dans son coin, chapeau sur la tête,
vêtu de son pardessus,* sa serviette à ses pieds, *Édouard qui
toussote. Surpris par le toussotement d'abord, puis, presque
en même temps, par la vue d'Édouard même, Bérenger a un
haut-le-corps.)*

Bérenger (sursautant). Aah, que faites-vous là?
*Édouard (d'une voix mince, un peu aiguë, presque enfantine;
toussotant, se levant, en ramassant sa serviette qu'il tient à
la main).* Il ne fait pas chaud, chez vous.

*(Il crache dans son mouchoir; pour ceci, il a de nouveau déposé sa
serviette, sorti aussi de sa poche sa main droite, qui est un
peu recroquevillée et qui est visiblement plus courte que
l'autre; ensuite il repliera soigneusement, méthodiquement, son
mouchoir, le remettra dans sa poche, reprendra sa serviette.)*

Bérenger. Vous m'avez fait peur . . . Je n'attendais pas votre   440
visite. Que faites-vous là?
Édouard. Je vous attendais. *(Remettant sa main plus courte dans
la poche.)* Bonjour, Bérenger.
Bérenger. Comment êtes-vous entré?
Édouard. Mais, par la porte, voyons. J'ai ouvert la porte.
Bérenger. Comment avez-vous fait? J'avais les clefs sur
moi! . . .
Édouard (sort de sa poche des clefs, les montre à Bérenger). Moi
aussi.

(Il remet les clefs dans sa poche.)

Bérenger. Comment avez-vous eu ces clefs?   450

96

(Il met son chapeau sur la table.)

Édouard. Mais . . . c'est vous-même qui m'en avez confié un jeu, pour rentrer chez vous quand je voulais et vous attendre, en cas d'absence.

Bérenger (cherchant dans sa mémoire). Moi, je vous ai donné ces clefs? . . . Quand? . . . Je ne m'en souviens pas . . . pas du tout . . .

Édouard. C'est pourtant vous qui me les avez confiées. Comment aurais-je pu les avoir, autrement?

Bérenger. C'est étonnant, mon cher Édouard. Bref, si vous le dites . . .   460

Édouard. Je vous assure . . . Excusez-moi, Bérenger, je vous les rends si cela vous ennuie que je les garde sur moi.

Bérenger. Enfin . . . non, non . . . gardez-les, Édouard, gardez-les puisque vous les avez. Excusez-moi, j'ai une mauvaise mémoire. Je ne me souviens pas de vous les avoir données.

Édouard. Si, pourtant . . . souvenez-vous, c'était l'année dernière, je crois. Un dimanche quand . . .

Bérenger (l'interrompant). La concierge ne m'a pas dit que vous m'attendiez.

Édouard. Sans doute ne m'a-t-elle pas aperçu, je m'excuse, je   470 ne savais pas qu'il fallait lui demander la permission de rentrer chez vous. Ne m'aviez-vous pas dit que ce n'était pas indispensable? Mais si vous ne voulez pas de ma visite . . .

Bérenger. Je ne veux pas dire cela. Votre présence me fait toujours plaisir.

Édouard. Je ne veux pas vous déranger.

Bérenger. Vous ne me dérangez pas du tout.

Édouard. Je vous remercie.

Bérenger. C'est mon manque de mémoire qui m'attriste . . .   480 *(Pour lui.)* Pourtant, la concierge n'a pas dû quitter la maison, ce matin! . . . *(A Édouard.)* Qu'est-ce que vous avez? Vous tremblez.

Édouard. Oui, en effet, je ne me sens pas très bien, j'ai froid.

Bérenger (prenant la main valide d'Édouard, tandis que celui-ci enfonce l'autre dans sa poche). Vous avez toujours de la fièvre. Vous toussez, vous frissonnez. Vous êtes tout pâle. Vos yeux brûlent.

Édouard. Les poumons . . . cela ne s'arrange pas . . . depuis le temps que je traîne cela . . .   490

Bérenger. Et c'est si mal chauffé dans cet immeuble . . . *(Sans enlever son pardessus, il va s'enfoncer, l'air morose, dans un fauteuil, près de la table, tandis qu'Édouard reste debout.)* Asseyez-vous donc, Édouard.

Édouard. Merci. Merci beaucoup. *(Il se rassoit sur le bahut, près de la fenêtre, en déposant, avec précaution, sa serviette près de lui, à portée de la main; il aura tout le temps l'air de la surveiller; un moment de silence, puis, remarquant la mine assombrie de Bérenger qui soupire :)* Vous semblez tout triste, vous avez un air accablé, soucieux . . .   500

Bérenger (pour lui). Si je n'étais que soucieux . . .

Édouard. Seriez-vous malade vous aussi? . . . Que s'est-il passé? Il vous est arrivé quelque chose?

Bérenger. Non, non . . . Rien du tout. Je suis comme cela . . . Je ne suis pas gai de nature! Brrrr . . . moi aussi, j'ai froid!

(Il se frotte les mains)

Édouard. Il vous est certainement arrivé quelque chose. Vous êtes plus nerveux que d'habitude, vous êtes tout agité! Dites-le-moi, si je ne suis pas indiscret, ça vous calmera.

Bérenger (se lève, il fait, nerveusement, plusieurs pas dans la 510 *pièce).* Il y a de quoi.

Édouard. Que s'est-il passé?

Berenger. Oh, rien, rien et tout . . . tout, tout . . .

Édouard. Je voudrais bien une tasse de thé, si c'est possible . . .

Bérenger (prenant soudain le ton tragique des déclarations graves). Mon cher Édouard, je suis meurtri, désespéré, inconsolable!

Édouard (sans changer le ton de sa voix). Meurtri de quoi, inconsolable de quoi?

Bérenger. Ma fiancée a été assassinée. 520

Édouard. Vous dites?

Bérenger. Ma fiancée a été assassinée, entendez-vous?

Édouard. Votre fiancée? Vous vous êtes donc fiancé? Vous ne
m'aviez jamais parlé de vos projets de mariage. Mes félici-
tations. Mes condoléances aussi. Qui était votre fiancée?

Bérenger. A vrai dire . . . ce n'était pas exactement ma fiancée
. . . C'est une jeune fille, une jeune fille qui aurait pu le
devenir.

Édouard. Ah oui?

Bérenger. Une jeune fille aussi belle que douce, tendre, pure 530
comme un ange. C'est affreux. C'est trop affreux.

Édouard. Depuis quand la connaissiez-vous?

Bérenger. Peut-être depuis toujours. Sûrement, depuis ce
matin.

Édouard. C'était récent.

Bérenger. On me l'a arrachée . . . arrachée! . . . J'ai . . .

(Geste de la main.)

Édouard. Ça doit être douloureux . . . Avez-vous du thé, s'il
vous plaît?

Bérenger. Excusez-moi, je n'y pensais pas . . . Avec ce drame
. . . qui déchire ma vie! Oui, oui, j'en ai! 540

Édouard. Je vous comprends.

Bérenger. Vous ne pouvez pas comprendre.

Édouard. Oh, si.

Bérenger. Je ne peux pas vous offrir du thé. Il est moisi.
J'avais oublié.

Édouard. Alors, un verre de rhum, s'il vous plaît . . . Je suis
tout transi.

*(Bérenger, tout en parlant, prend une bouteille de rhum, remplit
un petit verre pour Édouard, et le lui tend.)*

99

Bérenger. Elle va me manquer, toujours. Ma vie est terminée. C'est une déchirure qui ne guérira jamais!

Édouard. Vous êtes tout déchiré, pauve ami! *(Prenant le verre* 550 *de rhum.)* Merci! *(D'un ton toujours indifférent.)* Pauvre ami!

Bérenger. Et s'il n'y avait que cela, s'il n'y avait que le meurtre de cette malheureuse jeune fille. Savez-vous, il se passe des choses, des choses atroces dans le monde, dans notre ville, des choses terribles! inimaginables . . . tout près d'ici . . . relativement tout près . . . Moralement c'est ici-même, là! . . . *(Il se frappe la poitrine. Édouard a avalé le rhum. Il s'étrangle. Il tousse.)* Vous ne vous sentez pas bien! 560

Édouard. Ce n'est rien. C'est fort. *(Il continue de tousser.)* J'ai dû avaler de travers.

Bérenger (donnant à Édouard une petite tape dans le dos pour arrêter la toux et reprenant son verre de l'autre main). Je croyais avoir tout retrouvé, tout retrouvé. *(A Édouard.)* Levez la tête. Regardez le plafond. Ça va s'arrêter . . . *(Il continue.)* Tout ce que j'avais perdu, tout ce que je n'avais pas perdu, tout ce qui m'appartenait, tout ce qui ne m'avait jamais appartenu . . .

Édouard (à Bérenger qui continue de taper dans son dos). Merci 570 . . . Ça va comme ça . . . vous me faites mal . . . ça suffit, je vous prie.

Bérenger (allant déposer le petit verre sur la table, tandis qu'Édouard crache dans son mouchoir). Je croyais que le printemps était revenu pour toujours . . . que j'avais retrouvé l'introuvable, le rêve, la clef, la vie . . . tout ce que nous avons perdu, en vivant.

Édouard (toussotant). Oui. Bien sûr.

Bérenger. Toutes les aspirations confuses, tout ce que nous désirons obscurément, du plus profond de nous-mêmes, 580 sans même nous en rendre compte . . . Ah, je croyais tout avoir . . . C'était une terre inexplorée, d'une beauté magique . . .

Édouard. Vous êtes toujours à la recherche de choses extravagantes. Vous vous proposez des buts inaccessibles.

Bérenger. Puisque j'y étais? Puisque la jeune fille . . .

Édouard. La preuve c'est que vous n'y êtes plus et qu'elle n'est plus. Vos problèmes sont compliqués, sans utilité. Oui. Il y a toujours eu en vous un mécontentement, un refus de vous résigner.   590

Bérenger. C'est parce que je me suffoque . . . Je ne respire pas l'air qui m'est destiné.

Édouard (toussotant). Considérez-vous heureux de ne pas avoir une mauvaise santé, de ne pas être infirme ou malade.

Bérenger (sans tenir compte de ce que lui dit Édouard). Non. Non. J'ai vu, j'ai cru atteindre quelque chose . . . quelque chose comme un autre univers. Oui, seule la beauté peut faire s'épanouir les fleurs du printemps sans fin . . . les fleurs immortelles . . . hélas, ce n'était qu'une lumière   600 mensongère! . . . De nouveau, de nouveau, cela s'est écroulé dans les abîmes . . . en une seconde, en une seconde! La même chute, qui se répète . . .

(Tout cela est dit d'un ton déclamatoire, à mi-chemin entre la sincérité et la parodie.)

Édouard. Vous ne pensez qu'à vous.

Bérenger (avec une légère irritation). C'est faux. C'est faux. Je ne pense pas qu'à moi. Ce n'est pas pour moi . . . ou pas seulement pour moi, que je souffre en ce moment, que je refuse d'accepter! Il vient un moment où l'on ne peut plus admettre les choses horribles qui arrivent . . .

Édouard. Mais c'est l'ordre du monde. Tenez, moi, je suis   610 malade . . . j'en prends bien mon parti . . .

Bérenger (l'interrompant). Cela pèse, cela pèse terriblement, surtout quand on avait cru apercevoir . . . qu'on avait cru pouvoir espérer . . . Ah, ah . . . maintenant on ne peut plus . . . je suis fatigué . . . elle est morte, ils sont morts, on va tous les tuer . . . on ne peut pas empêcher . . .

Édouard. Mais comment est-elle morte, cette fiancée qui n'existait peut-être pas? Et qui va-t-on tuer, encore, en dehors de ceux que l'on tue habituellement? De quoi parlez-vous, en somme ? Est-ce vos rêves que l'on tue? 620 les généralités ne veulent rien dire.

Bérenger. Ce ne sont pas des propos en l'air . . .

Édouard. Je m'excuse. Je ne vous comprends guère. Je ne . . .

Bérenger. Vous êtes toujours dans votre trou. Vous ne savez jamais rien. Où vivez-vous?

Édouard. Précisez, renseignez-moi.

Bérenger. C'est absolument incroyable. Il y a, dans notre ville, puisque vous n'êtes pas au courant, un beau quartier.

Édouard. Eh bien . . .   630

Bérenger. Oui, il existe un beau quartier. J'ai trouvé le beau quartier, j'en viens. On l'appelle la cité radieuse.

Édouard. Alors.

Bérenger. Malgré son nom, ce n'est pas l'arrondissement de la joie, l'arrondissement modèle, l'arrondissement privilégié. Un malfaiteur, un assassin inassouvi en a fait un enfer.

Édouard (tousse). Je m'excuse, je tousse, c'est malgré moi!

Bérenger. Vous m'entendez?

Édouard. Parfaitement : un assassin en a fait un enfer.   640

Bérenger. Il terrorise, il tue tout le monde. On abandonne le quartier. Il n'existera plus.

Édouard. Ah, mais oui, j'y suis! Il s'agit sans doute du mendiant qui montre aux gens la photo du colonel et les jette à l'eau pendant qu'ils la regardent! C'est un attrapenigaud. Je croyais que vous parliez d'autre chose. Si ce n'est que cela . . .

Bérenger (surpris). Vous le saviez? Vous étiez au courant?

Édouard. Depuis longtemps, voyons. Je pensais que vous alliez m'apprendre quelque chose de neuf, qu'il y avait 650 un deuxième beau quartier.

Bérenger. Pourquoi ne m'en aviez-vous jamais rien dit?

Édouard. Je croyais que ce n'était pas la peine. Toute la ville
connaît l'histoire, je suis même très surpris que vous ne
l'ayez pas connue vous-même plus tôt, c'est une vieille
nouvelle. Qui ne la connaît pas? . . . Je pensais qu'il
était inutile de vous en parler.

Bérenger. Comment? Tout le monde est au courant?

Édouard. Puisque je vous le dis. Vous voyez, moi-même je le
sais. La chose est sue, assimilée, cataloguée. Même les   660
enfants des écoles savent . . .

Bérenger. Même les enfants des écoles? . . . En êtes-vous
sûr?

Édouard. Évidemment.

(Il toussote.)

Bérenger. Comment les enfants des écoles ont-ils pu apprendre? . . .

Édouard. Ils ont dû entendre leurs parents en parler . . . ou
les grands . . . le maître d'école aussi quand il leur enseigne à lire et à écrire . . . Voulez-vous me donner
encore un peu de rhum? . . . Ou plutôt non, cela me fait   670
trop de mal. Il vaut mieux que je m'abstienne. *(Reprenant le fil de l'explication.)* C'est regrettable, certes.

Bérenger. Très regrettable! Extrêmement regrettable . . .

Édouard. Que voulez-vous qu'on y fasse?

Bérenger. Permettez-moi de vous dire, à mon tour, dans ce
cas, à quel point je suis moi-même surpris que vous n'en
soyez pas plus bouleversé . . . J'ai toujours cru que vous
étiez un homme sensible, humain.

Édouard. Je le suis peut-être.

Bérenger. Mais c'est atroce. Atroce.   680

Édouard. Je l'admets. Je ne vous contredis pas.

Bérenger. Votre indifférence me révolte! Je vous le dis en face.

Édouard. Que voulez-vous . . . je . . .

Bérenger (plus fort). Votre indifférence me révolte!

Édouard. Remarquez . . . la nouvelle est pour vous toute
fraîche . . .

Bérenger. Ce n'est pas une raison. Vous me navrez, Édouard, sincèrement vous me navrez . . .

(Édouard se met à tousser violemment. Il crache dans son mouchoir.)

Bérenger (se précipitant vers Édouard car celui-ci manque de défaillir). Vous avez mal!   690

Édouard. Un verre d'eau.

Bérenger. Tout de suite. Je vous l'apporte. *(Il le soutient.)* Allongez-vous là . . . sur le canapé . . .

Édouard (entre deux toux ou deux hoquets). Ma serviette . . . *(Bérenger se penche pour prendre la serviette d'Édouard. Bien que presque défaillant, Édouard, dans un sursaut, s'échappe des mains de Bérenger pour attraper la serviette.)* Laissez . . . laissez . . .

(Il prend des mains de Bérenger la serviette que celui-ci avait saisie, puis, toujours défaillant, soutenu par Bérenger, il arrive au divan, sans lâcher la serviette, s'allonge avec l'aide de Bérenger, dépose la serviette à côté de lui.)

Bérenger. Vous êtes inondé de sueur . . .

Édouard. Et glacé, en même temps, ah . . . cette toux, c'est   700 affreux . . .

Bérenger. N'attrapez pas froid. Voulez-vous une couverture?

Édouard (frissonnant). Ne vous inquiétez pas. Ce n'est rien . . . ça va passer . . .

Bérenger. Installez-vous. Reposez-vous.

Édouard. Un verre d'eau . . .

Bérenger. Tout de suite . . . Je vous l'apporte.

(Il sort précipitamment pour chercher le verre d'eau; on entend couler l'eau d'un robinet. Pendant ce temps, Édouard se soulève sur un coude, s'arrête de tousser, contrôle, d'une main inquiète, la fermeture de son énorme serviette noire, puis un peu tranquillisé, s'allonge, de nouveau, toujours toussant, mais moins fort. Édouard ne doit pas donner

l'impression qu'il essaye de tromper Bérenger; il est vrai-
ment malade, il a aussi d'autres inquietudes, au sujet de sa
serviette, par exemple; il s'éponge le front.)

Bérenger (revenant avec le verre d'eau). Vous vous sentez
   mieux?
Édouard. Merci . . . *(Il boit une gorgée d'eau; Bérenger reprend* 710
   le verre.) Excusez-moi, je suis ridicule. Ça va, maintenant.
Bérenger. C'est à moi de m'excuser. J'aurais dû penser . . .
   Quand on est soi-même malade, quand on est un grand
   malade, comme vous, il est difficile d'être préoccupé par
   autre chose . . . Je suis injuste avec vous. Après tout, ce
   sont peut-être ces crimes affreux de la cité radieuse qui
   sont à l'origine de votre maladie. Cela a dû vous toucher,
   consciemment ou non. Oui, c'est cela, sans doute, qui
   vous ronge. On ne doit pas juger à la légère, je le con-
   fesse. On ne peut connaître le cœur des gens . . .   720
Édouard (se levant). Je gèle chez vous . . .
Bérenger. Ne vous levez pas. Je vais vous chercher la couverture.
Édouard. Si on allait se promener un peu, plutôt, pour prendre
   l'air. Je vous ai attendu là, dans ce froid, trop longtemps.
   Il fait certainement plus chaud dehors.
Bérenger. Je suis tellement fatigué moralement, tellement
   déprimé. J'aurais préféré aller me coucher . . . Enfin,
   puisque vous y tenez, je vais tout de même vous accompagner un peu!   730
Édouard. Vous êtes bien charitable! *(Il remet son chapeau de*
   feutre bordé d'un crêpe noir, boutonne et époussette son par-
   dessus sombre, tandis que Bérenger enfonce son chapeau sur
   la tête, lui aussi. Édouard prend sa lourde serviette noire
   bourrée. Il est précédé par Bérenger qui lui tourne le dos, en
   marchant; en passant près de la table, et en voulant passer
   la serviette par-dessus celle-ci, la serviette s'ouvre et une
   partie de son contenu se déverse sur la table; ce sont,
   d'abord, de grandes photos.) Ma serviette!

Bérenger (se retournant au bruit). Qu'est-ce que . . . Ah! . . . 740

(Ils se précipitent tous les deux en même temps vers la serviette.)

Édouard. Laissez, laissez donc.
Bérenger. Mais si, attendez, je vais vous aider . . . *(Il aperçoit les photos.)* Mais . . . mais . . . qu'est-ce que vous avez là?

(Il prend une des photos. Édouard essaye, sans trop d'énervement cependant, de la lui reprendre, de cacher, avec ses mains, les autres photos qui coulent de la serviette, les fait rentrer dedans.)

Bérenger (qui n'a pas lâché la photo, la regarde, malgré l'opposition d'Édouard). Qu'est-ce que c'est? . . .
Édouard. Une photo sans doute . . . des photos . . .
Bérenger (tenant et regardant toujours la photo). C'est un militaire, moustachu, il a des galons . . . un colonel avec ses décorations, sa croix d'honneur . . . *(Il prend d'autres* 750 *photos.)* Encore des photos! Et toujours la même tête!
Édouard (regardant, lui aussi). Oui . . . en effet . . . c'est un colonel.

(Il a l'air de vouloir mettre la main sur les photos, tandis que d'autres photos, nombreuses, continuent de se déverser sur la table.)

Bérenger (avec autorité). Laissez-moi voir! *(Il fouille dans la serviette, en tire d'autres photos, en regarde encore une.)* Il a une bonne figure. Une expression plutôt attendrissante. *(Il sort d'autres photos. Édouard s'éponge le front.)* Qu'est-ce que cela veut dire? Mais c'est la photo, la fameuse photo du colonel! Vous l'aviez là-dedans . . . vous ne m'en aviez jamais parlé!   760
Édouard. Je ne regarde pas tout le temps dans ma serviette.
Bérenger. C'est bien votre serviette, pourtant, vous ne vous en séparez jamais!

Édouard. Ce n'est pas une raison . . .

Bérenger. Bref . . . Profitons de l'occasion. Tant qu'on y est, cherchons encore . . . *(Bérenger plonge sa main dans l'énorme serviette noire. Édouard fait de même, avec sa main trop blanche, aux doigts recroquevillés que l'on voit maintenant d'une façon très nette.)* Encore des photos du colonel . . . encore . . . encore . . . *(A Édouard qui,* 770 *maintenant, sort lui aussi des objets de la serviette, l'air ahuri.)* Et cela?

Édouard. Ce sont des fleurs artificielles, comme vous voyez.

Bérenger. Il y en a des quantités! . . . Et ça? . . . tiens, des images obscènes . . . *(Il les regarde. Édouard va regarder par-dessus l'épaule de Bérenger.)* C'est vilain!

Édouard. Pardon!

(Il s'éloigne d'un pas.)

Bérenger (rejette les photos obscènes, continue son inventaire). Des bonbons . . . des tirelires . . . *(Ils sortent tous les deux de la serviette, tout un tas d'objets divers.)* . . . des 780 montres d'enfants! . . . Mais qu'est-ce que ça vient chercher là?

Édouard (bredouillant). Je . . . je ne sais pas . . . je vous dis . . .

Bérenger. Qu'est-ce que vous en faites?

Édouard. Rien. Que pourrait-on en faire?

Bérenger (sortant toujours de la serviette qui doit être comme les sacs sans fond des prestidigitateurs, toutes sortes d'objets en quantités invraisemblables, se répandant sur toute la surface de la table, tombant aussi, en partie, sur le plancher). . . . des épingles . . . encore des épingles . . . des porte- 790 plumes . . . et ça . . . et ça . . . qu'est-ce que c'est?

(On doit beaucoup insister sur ce jeu : certains objets peuvent voltiger, d'autres peuvent être jetés, par Bérenger, aux quatre coins de la scène.)

Édouard. Ça? . . . Je ne sais pas . . . je ne sais rien . . . je ne suis pas au courant.

Bérenger (lui montrant une boîte). Qu'est-ce que c'est que
  cela?
Édouard (la prenant dans la main). Ça m'a l'air d'une boîte,
  n'est-ce pas?
Bérenger. En effet. C'est une boîte en carton. Qu'est-ce qu'il
  y a dedans?
Édouard. Je ne sais pas, je ne sais pas. Je ne peux pas vous le 800
  dire.
Bérenger. Ouvrez-la, allez, ouvrez-la!
Édouard (presque indifférent). Si vous le désirez . . . *(Il ouvre
  la boîte.)* Il n'y a rien! Ah, si, une autre boîte . . .

(Il sort la petite boîte.)

Bérenger. Et dans cette autre boîte?
Édouard. Voyez vous-même.
Bérenger (sortant une troisième boîte de la seconde boîte). Une
  autre boîte. *(Il regarde dans la troisième boîte.)* Dedans, il
  y a encore une boîte. *(Il la sort.)* Et dedans, encore une
  . . . *(Il regarde dans la quatrième boîte.)* Et dedans encore 810
  une boîte . . . et ainsi de suite, à l'infini! Voyons encore
  . . .
Édouard. Oh, si vous voulez . . . Mais on ne pourra plus se
  promener . . .
Bérenger (sortant des boîtes) Boîte à boîtes . . . boîte à boîtes
  boîte à boîtes . . . boîte à boîtes! . . .
Édouard. Rien que des boîtes . . .
Bérenger (sort de la serviette une poignée de cigarettes). Des
  cigarettes!
Édouard. Celles-là m'appartiennent! . . . *(Il les ramasse; puis,* 820
  s'arrêtant.) Prenez-en une, si vous voulez . . .
Bérenger. Merci, je ne fume pas.

*(Édouard met la poignée de cigarettes dans sa poche, d'autres
  cigarettes s'éparpillent sur la table, tombent par terre.)*

Bérenger (regardant fixement Édouard). Ce sont les objets du
  monstre! Vous les aviez là!

108

Édouard. Je n'en savais rien, je n'en savais rien!

(Il fait mine de reprendre la serviette.)

Bérenger. Non, non. Videz tout! Allez!
Édouard. Cela me fatigue. Faites-le vous-même, mais je n'en
vois pas la nécessité.

(Il lui tend la serviette béante.)

Bérenger (sortant une autre boîte) Ce n'est toujours qu'une
boîte.   830
Édouard. Vous voyez bien.
Bérenger (regardant à l'intérieur de la serviette vidée). Il n'y a
plus rien!
Édouard. Je peux remettre en place?

*(Il commence à ramasser les objets et à les remettre, en désordre,
dans la serviette.)*

Bérenger. Les objets du monstre! Ce sont les objets du
monstre! C'est extraordinaire . . .
Édouard (même jeu). Eh . . . oui . . . ma foi, on ne peut le
nier . . . C'est vrai.
Bérenger. Comment se trouvent-ils dans votre serviette?
Édouard. Vraiment . . . Je . . . Que voulez-vous que je vous 840
dise? . . . Il y a des choses qu'on ne peut pas toujours
s'expliquer . . . Je peux remettre en place?
Bérenger. Peut-être, oui, enfin . . . A quoi pourraient-ils nous
servir? *(Il commence à aider Édouard à remplir la serviette
avec les objets qu'il avait fait sortir; puis, soudain, au
moment où il veut remettre dans la serviette la dernière
boîte qu'il n'avait pas examinée, celle-ci se défait et l'on voit
s'éparpiller sur la table toutes sortes de documents ainsi que
plusieurs dizaines de cartes de visite; tout cela, dans le style
du prestidigitateur.)* Tiens, des cartes de visite!   850
Édouard. Oui. Des cartes de visite. En effet, c'est étonnant . . .
ça alors!

Bérenger (examinant les cartes de visite). Ce doit être son nom.

Édouard. Le nom de qui?

Bérenger. Le nom du criminel, voyons, le nom du criminel!

Édouard. Vous croyez?

Bérenger. Cela me paraît indiscutable.

Édouard. Vraiment? Pourquoi?

Bérenger. Vous voyez bien, tout de même! Toutes les cartes de visite portent le même nom. Regardez, lisez!   860

(Il tend quelques cartes de visite à Édouard.)

Édouard (lisant le nom inscrit sur les cartes). En effet . . . le même nom . . . partout le même nom . . . c'est juste!

Bérenger. Ah . . . mais . . . cela devient de plus en plus bizarre, mon cher Édouard, oui *(le regardant)* . . . de plus en plus bizarre!

Édouard. Est-ce que vous pensez que . . .

Bérenger (sortant de la boîte les objets dont il parle). Et voilà son adresse . . . *(Édouard toussote légèrement, avec un semblant d'inquiétude.)* Et sa carte d'identité . . . sa photo! . . . C'est bien lui . . . Sa propre photo épinglée sur celle   870 du colonel! *(Avec une agitation grandissante.)* Un répertoire avec . . . avec . . . les noms de toutes les victimes . . . leurs adresses! . . . On l'aura, Édouard, on l'aura!

Édouard (sortant, on ne sait d'où un petit coffret; il le sort peut-être de sa poche, d'une de ses manches, comme un presti-digitateur. Cela peut être une boîte plate, qui prend la forme d'un cube au moment où on la montre) Il y a cela aussi . . .

Bérenger (nerveusement). Montrez, vite! *(Il ouvre le petit coffret, en sort d'autres documents, les étend sur la table.)*   880 Un cahier . . . *(Il le feuillette.)* « Treize janvier : aujour-d'hui, je vais tuer . . . quatorze janvier : j'ai jeté, hier soir, dans le bassin, une vieille femme qui avait des lunettes cerclées d'or . . . » C'est son journal intime! *(Il feuillette, haletant tandis qu'Édouard semble se sentir mal*

à l'aise.) « Vingt-trois janvier : rien à tuer aujourd'hui.
Vingt-cinq janvier : rien à me mettre sous la dent aujour-
d'hui non plus ! . . . »

Édouard (timidement). Nous ne sommes pas indiscrets?

Bérenger (continuant). «Vingt-six janvier : Hier soir, alors que 890
je ne l'espérais plus et m'ennuyais beaucoup, j'ai pu
décider deux personnes à contempler, près du bassin, la
photo du colonel . . . février : demain, je crois pouvoir
décider une jeune fille blonde, que je travaille déjà depuis
quelque temps, à regarder la photo . . .» Ah, celle-là
c'est Dany, la malheureuse, ma fiancée . . .

Édouard. Cela me semble probable.

Bérenger (feuilletant toujours le cahier). Mais regardez,
Édouard, regardez, c'est incroyable . . .

Édouard (lisant par-dessus l'épaule de Bérenger). Criminologie. 900
Cela veut dire quelque chose?

Bérenger. Cela veut dire : essai sur le crime . . . Nous avons
là sa profession de foi, sa doctrine . . . Et voici, vous
voyez? Lisez donc . . .

Édouard (même jeu, lisant). Aveux détaillés.

Bérenger. Nous le tenons, le misérable!

Édouard (même jeu, lisant). Projets d'avenir. Plan d'action.

Bérenger. Dany, ma chère, tu seras vengée! *(A Édouard.)*
Vous avez là toutes les preuves. Nous pouvons le faire
arrêter. Vous en rendez-vous compte? 910

Édouard (balbutiant). Je ne savais pas . . . je ne savais pas . . .

Bérenger. Vous auriez pu épargner tant de vies humaines!

Édouard (même jeu). Oui . . . Je m'en aperçois. Je suis confus.
Je ne savais pas. Je ne sais jamais ce que j'ai, je ne regarde
pas dans ma serviette.

Bérenger. C'est une négligence condamnable.

Édouard. C'est vrai, je m'en excuse, je suis navré.

Bérenger. Enfin, tout de même, ces choses ne sont pas venues
toutes seules là-dedans. Vous les avez trouvées, vous les
avez reçues. 920

Édouard (toussant, s'épongeant le front, chancelant). . . . Je suis honteux . . . je ne m'explique pas . . . je ne comprends pas . . . Je . . .

Bérenger. Ne rougissez pas. Vous me faites pitié, cher ami. Vous rendez-vous compte que vous êtes en partie responsable de l'assassinat de Dany? . . . Et de tant d'autres!

Édouard. Pardonnez-moi . . . je ne savais pas.

Bérenger. Voyons ce qu'il nous reste à faire. *(Gros soupir.)* Il est inutile, hélas, de regretter le passé. Vos remords ne servent à rien. 930

Édouard. Vous avez raison, vous avez raison, vous avez raison. *(Puis, faisant un effort de mémoire.)* Ah, oui, je me rappelle à présent. C'est drôle, c'est-à-dire, non, ce n'est pas drôle. Le criminel m'avait envoyé son journal intime, ses notes, ses fiches, il y a bien longtemps, me priant de les publier dans une revue littéraire. C'était avant l'accomplissement des meurtres.

Bérenger. Pourtant, il note ce qu'il vient de faire. Avec des détails. C'est comme un journal de bord. 940

Édouard. Non, non. A ce moment, c'était simplement des prévisions . . . des prévisions imaginaires. J'avais complètement perdu tout cela de vue. Je crois que lui-même ne pensait pas perpétrer tous ces crimes. Son imagination l'a entraîné. Il n'a dû songer que par la suite à mettre ses projets en acte. Moi, pour ma part, j'avais pris cela pour des rêveries ne portant pas à conséquence . . .

Bérenger (levant les bras au ciel). Vous êtes d'une naïveté!

Édouard (continuant). . . . Quelque chose comme de l'assassinat-fiction, de la poésie, de la littérature . . . 950

Bérenger. La littérature mène à tout. Ne le saviez-vous pas?

Édouard. On ne peut pas empêcher les écrivains d'écrire, ni les poètes de rêver.

Bérenger. On devrait.

Édouard. Je regrette de ne pas avoir réfléchi à la question, de ne pas avoir mis tous ses documents en rapport avec les événements . . .

(Tout en parlant, Édouard et Bérenger commencent à ramasser, et remettre, dans la mesure du possible, à l'intérieur de la serviette, les objets éparpillés sur la table, par terre, sur les autres meubles.)

Bérenger (tout en mettant les objets dans la serviette). Le rapport est pourtant bien celui de l'intention à la réalisation, ni plus ni moins, c'est clair comme le jour . . .   960

Édouard (sortant de sa poche une grande enveloppe). Il y a ceci encore!

Bérenger. Qu'est-ce que c'est? *(Ils déplient l'enveloppe.)* Ah, c'est une carte, un plan . . . Ces croix sur le plan, qu'est-ce que cela signifie?

Édouard, Je crois que . . . mais oui . . . ce sont les endroits où doit se trouver l'assassin . . .

Bérenger (examinant la carte étendue sur toute la table). Et ceci? Neuf heures quinze, treize heures vingt-sept, quinze heures quarante-cinq, dix-huit heures trois . . .   970

Édouard. C'est son horaire, vraisemblablement. Fixé à l'avance. Lieu par lieu, heure par heure, minute par minute.

Bérenger. . . . Vingt-trois heures, neuf minutes, deux secondes . . .

Édouard. Seconde par seconde. Il ne perd pas son temps.

(Il a dit cela avec un mélange d'admiration et d'indifférence.)

Bérenger. Ne perdons pas le nôtre non plus. C'est simple. Avertissons la police. Il ne reste plus qu'à le cueillir. Mais, dépêchons-nous, les bureaux de la Préfecture fermeront avant la nuit. Après, il n'y a plus personne. D'ici 980 demain, il pourrait peut-être modifier ses plans. Allons vite voir l'Architecte, le Commissaire.

Édouard. Vous devenez un homme d'action. Moi . . .

Bérenger (continuant). Montrons-lui les preuves!

Édouard (assez mou). Je veux bien.

Bérenger (agité). Alors, allons-y. Pas une seconde à perdre!

Terminons de ranger tout cela . . . *(Ils entassent comme ils peuvent les objets dans l'énorme serviette, dans leurs poches, dans la doublure des chapeaux.)* N'oublions aucun des documents . . . vite. 990

Édouard (encore plus mou). Mais oui, mais oui.

Bérenger (finissant de remplir la serviette. Cependant, quelques cartes de visite, quelques objets pourront encore se trouver sur le plancher, sur la table . . .). Vite, ne dormez pas, vite, vite . . . Il nous faut toutes les preuves . . . Allons, fermez bien maintenant . . . fermez à clef . . . *(Édouard, un peu bousculé, essaye vainement de fermer, avec une petite clef, la serrure de la serviette; il s'arrête un peu pour tousser.)* A double tour ! . . . Ce n'est pas le moment de tousser ! *(Édouard s'efforce de ne pas tousser, tout en continuant son* 1000 *jeu.)* Ah, là là, que vous êtes maladroit, vous n'avez aucune force dans vos doigts. Un peu de vie, voyons, un peu de vie ! . . . Remuez donc. Ah, donnez-moi cela . . .

(Il prend des mains d'Édouard la petite clef et la serviette.)

Édouard. Excusez-moi, je ne suis vraiment pas adroit de mes mains . . .

Bérenger. C'est votre serviette, vous ne savez même pas la fermer . . . Laissez-moi donc la clef, voyons.

(Il arrache, assez vivement, la clef des mains d'Édouard qui la lui avait reprise.)

Édouard. Prenez-la, la voilà, tenez.

Bérenger (il boucle la serviette). Comment pensez-vous fermer sans clef ? Ça y est. Gardez-la . . . 1010

Édouard. Merci.

Bérenger. Mettez-la dans votre poche. Vous allez la perdre. *(Édouard lui obéit.)* C'est cela. Allons . . . *(Édouard reprend sa serviette) (Bérenger va vers la porte, suivi, contre son gré, par Édouard; il se retourne vers Édouard.)* Ne laissez pas la lumière allumée, éteignez, s'il vous plaît. *(Édouard se retourne. Il va éteindre. Pour ce faire, il*

*laisse la serviette qu'il oubliera près de la chaise. Ceci doit se
faire très visiblement,)* Allons . . . Allons . . . Bougez . . .
Bougez . . .   1020

(Ils sortent tous les deux très vite.

*On entend la porte s'ouvrir, se refermer, claquer. On entend
leurs pas dans l'entrée. On les voit dans la rue, tandis que
les bruits de la ville se font de nouveau entendre. Dans leur
précipitation, ils bousculent la Concierge que l'on voit devant
la fenêtre. Béranger traîne Édouard par la main.)*
*La Concierge (bousculée tandis que Béranger et Édouard dis-
paraissent).* On n'a pas idée! . . .
(Elle bredouille la suite, d'une façon incompréhensible.)

Rideau.

ACTE III

DÉCOR

Une sorte de grande avenue, en marge de la ville. Dans le fond du décor, la perspective est obstruée. A cet endroit, la rue est sans doute surélevée, du côté que l'on ne voit pas. Cette surélévation, large de quelques mètres est bordée d'une rampe. Du côté du plateau que l'on peut apercevoir de la salle, des escaliers mènent, également bordés d'une rampe, au trottoir supérieur. Ces quelques marches de pierre doivent être semblables à celles de certaines vieilles rues de Paris, comme la rue Jean-de-Beauvais. Plus tard dans le fond, le soleil couchant, rouge, énorme, mais sans éclat. L'éclairage ne vient pas de lui. Ainsi donc, dans le fond, c'est comme s'il y avait une sorte de mur qui s'élève à un mètre et demi ou deux mètres, suivant la hauteur du plateau. Dans la seconde partie de cet acte ce mur devra se défaire laissant voir une perspective, la perspective d'une longue rue avec, dans le lontain, des bâtiments : les bâtiments de la Préfecture. Le plateau peut-être en pente. L'escalier, dans ce cas, n'est peut-être plus utile.

A droite de la scène, au premier plan, un petit banc. Avant le lever du rideau, on entend des cris : « Vive les oies de la mère Pipe ! Vive les oies de la mère Pipe.»

Le rideau se lève.

Au lever du rideau, dans la partie surélevée, dans le fond du plateau, à mi-corps, la mère Pipe, derrière le mur-parapet, grosse bonne femme qui resemble à la concierge du premier acte. Elle s'adresse à une foule que l'on n'aperçoit pas: on aperçoit seulement deux ou trois drapeaux portant une oie au milieu. L'oie blanche se détache sur le fond vert des drapeaux.

La mère Pipe (portant elle aussi un drapeau vert avec une oie au milieu). Peuple! Moi, la mère Pipe, qui élève des oies publiques, j'ai une longue expérience de la vie politique. Confiez-moi le chariot de l'État que je vais diriger et qui sera traîné par mes oies. Votez pour moi. Faites-moi confiance. Mes oies et moi demandons le pouvoir.

(Cris de la foule. Les drapeaux s'agitent : « Vive la mère Pipe! Vive les oies de la mère Pipe! » Bérenger entre suivi d'Édouard par la droite. Édouard est essoufflé. Bérenger le traîne après lui, en le tirant par la manche. Ils traversent ainsi, de droite à gauche, de gauche à droite, le plateau. Pendant les répliques dites par Édouard et Bérenger, on n'entendra plus parler la mère Pipe. On la verra seulement faire des gestes et ouvrir toute grande la bouche, tandis que les acclamations de la foule cachée ne formeront plus qu'un arrière-fond sonore, atténué. Le discours de la mère Pipe et les bruits des voix s'entendent de nouveau, bien sûr, entre les répliques d'Édouard et celles de Bérenger.)

Bérenger. Allons, dépêchez-vous, dépêchez-vous donc. Encore un petit effort. C'est là-bas, tout au bout. *(Il montre du doigt.)* Là-bas, les bâtiments de la Préfecture, il faut arriver à temps, avant la fermeture des bureaux; dans   10 une demi-heure, ce sera trop tard. L'Architecte, je veux dire le Commissaire, ne sera plus là. Je vous ai dit pourquoi on ne peut attendre jusqu'à demain. D'ici demain, le tueur pourrait prendre le large . . . ou faire d'autres victimes encore! Il doit sentir que je suis à ses trousses.

Édouard *(essoufflé, mais poli)*. Une seconde, s'il vous plaît, vous m'avez fait courir trop vite . . .

La mère Pipe. Concitoyens, concitoyennes . . .

Bérenger. Allons, allons.

Édouard. Laissez-moi me reposer . . . Je n'en peux plus.   20

Bérenger. Nous n'avons pas le temps.

La mère Pipe. Concitoyens, concitoyennes . . .

Édouard. Je n'en peux plus.

(Il s'assoit sur le banc.)

Bérenger. Bon. Tant pis. Une seconde, pas plus. *(Il reste debout, près du banc.)* Tiens, quel est cet attroupement?

Édouard. Une réunion électorale.

La mère Pipe. Votez pour nous! Votez pour nous!

Bérenger. On dirait ma concierge.

Édouard. Vous avez des hallucinations. C'est un homme politique, la mère Pipe éleveuse d'oies. Une forte per- 30
sonnalité.

Bérenger. Son nom me dit quelque chose. Mais je n'ai pas le temps de l'écouter.

Édouard (à Bérenger). Asseyez-vous un instant, vous êtes fatigué.

La mère Pipe. Peuple, tu es mystifié. Tu seras démystifié.

Bérenger (à Édouard). Je n'ai pas le temps d'être fatigué.

Voix de la foule. A bas la mystification! Vive les oies de la mère Pipe!

Édouard (à Bérenger). Je m'excuse. Une seconde. Vous avez 40
dit : une seconde.

La mère Pipe. J'ai élevé pour vous tout un troupeau de démys-
tificateurs. Ils vous démystifieront. Mais il faut mystifier pour démystifier. Il nous faut une mystification nouvelle.

Bérenger. Nous n'avons pas le temps, nous n'avons pas le temps!

Voix de la foule. Vive la mystification des démystificateurs.

Bérenger. Nous n'avons pas un instant à perdre! *(Il s'assoit tout de même en regardant sa montre.)* L'heure avance.

Voix de la foule. Vive la nouvelle mystification! 50

Bérenger (à Édouard). Allons.

Édouard (à Berenger). Ne vous inquiétez pas. C'est la même heure que tout à l'heure, vous voyez bien.

La mère Pipe. Je vous promets de tout changer. Pour tout changer il ne faut rien changer. On change les noms, on ne change pas les choses. Les anciennes mystifications n'ont pas résisté à l'analyse phychologique, à l'analyse sociologique. La nouvelle sera invulnérable. Il n'y aura que des malentendus. Nous perfectionnerons le mensonge.

Bérenger (à Édouard). Partons.   60

Édouard. Si vous voulez.

Bérenger (s'apercevant qu'Édouard, qui se lève péniblement, n'a plus sa serviette). Où est votre serviette?

Édouard. Ma serviette? Quelle serviette? Ah, oui, ma serviette. Elle doit être sur le banc. *(Il regarde sur le banc.)* Non. Elle n'est pas sur le banc.

Bérenger. C'est extraordinaire! Vous l'avez toujours sur vous!

Édouard. Elle est peut-être sous le banc.

La mère Pipe. Nous allons désaliéner l'humanité!

Bérenger (à Édouard). Mais cherchez-la, cherchez-la donc.   70

(Ils se mettent à chercher la serviette sous le banc, puis sur le plateau, par terre.)

La mère Pipe (à la foule). Pour désaliéner l'humanité il faut aliéner chaque homme en particulier . . . et vous aurez la soupe populaire!

Voix de la foule. Nous aurons la soupe populaire et les oies de la mère Pipe!

Bérenger (à Édouard). Cherchons, dépêchons-nous. Où avez-vous pu la laisser?

La mère Pipe (à la foule, pendant que Bérenger et Édouard cherchent la serviette, Bérenger fiévreusement, Édouard avec nonchalance). Nous n'allons plus persécuter, mais   80 nous punirons et nous ferons justice. Nous ne coloniserons pas les peuples, nous les occuperons pour les libérer. Nous n'exploiterons pas les hommes, nous les ferons produire. Le travail obligatoire s'appellera travail volontaire. La guerre s'appellera la paix et tout sera changé, grâce à moi et à mes oies.

Bérenger (cherchant toujours). C'est inconcevable, c'est inconcevable, où a-t-elle pu passer? J'espère qu'on ne vous l'a pas volée. Ce serait une catastrophe, une catastrophe!

Voix de la foule. Vive les oies de la mère Pipe! Vive la soupe   90 populaire!

La mère Pipe. La tyrannie restaurée s'appellera discipline et liberté. Le malheur de tous les hommes c'est le bonheur de l'humanité!

Bérenger (à Édouard). Vous ne vous rendez pas compte, c'est un désastre, nous ne pouvons rien faire sans nos preuves, sans les documents. On ne nous croira pas.

Édouard (à Bérenger, avec nonchalance). Ne vous inquiétez pas, nous la retrouverons. Cherchons tranquillement. Le tout c'est d'avoir du calme. 100

(Ils se remettent à chercher.)

La mère Pipe (à la foule). Nos procédés seront plus que scientifiques, ils seront para-scientifiques! Notre raison sera fondée sur la colère. Et vous aurez la soupe populaire . . .

Voix de la foule. Vive la mère Pipe! Vive les oies! Vive les oies!

Voix dans la foule. Et nous serons désaliénés, grâce à la mère Pipe.

La mère Pipe. L'objectivité est subjective à l'ère de la para-science.

Bérenger (se tordant les mains, à Édouard). C'est un coup du 110 malfaiteur.

Édouard (à Bérenger). C'est intéressant ce que dit la mère Pipe!

Voix de la foule. Vive la mère Pipe!

Bérenger (à Édouard). Je vous dis que c'est un coup du malfaiteur.

Édouard (à Berenger). Vous pensez?

(Apparaît par la gauche, une serviette à la main, un homme ivre-mort, vêtu d'un frac et d'un haut de forme.)

L'Homme. Je suis . . . *(hoquet)* je suis pour *(hoquet)* . . . la réhabilitation du héros.

Bérenger (apercevant l'Homme). Voilà la serviette! C'est lui 120 qui l'a.

(Il se dirige vers l'Homme.)

Édouard. Vive la mère Pipe!

Bérenger (à l'Homme). Où avez-vous trouvé cette serviette? Rendez-moi la serviette.

L'Homme. Vous n'êtes pas pour la réhabilitation du héros?

La mère Pipe (à la foule). Quant aux intellectuels . . .

Bérenger (essayant d'arracher la serviette des mains de l'Homme). Voleur! . . . Lâchez donc cette serviette!

La mère Pipe (à la foule). . . . Nous les mettrons au pas de l'oie! Vive les oies!   130

L'Homme (entre deux hoquets, tenant fortement la serviette). Je ne l'ai pas volée. C'est ma serviette.

Voix de la foule. Vive les oies!

Bérenger (à l'Homme). D'où l'avez-vous? Où l'avez-vous achetée?

L'Homme (secoué par Bérenger, a le hoquet. A Édouard). Vous reconnaissez bien votre serviette?

Édouard. On dirait . . . il me semble.

Bérenger (à l'Homme). Alors, rendez-la moi.

L'Homme. Je suis pour le héros.   140

Bérenger (à Édouard). Aidez-moi!

(Bérenger s'acharne sur l'Homme.)

Édouard. Mais oui.

(Il s'approche de l'Homme mais laisse Bérenger s'acharner tout seul contre celui-ci. Il regarde du côté de la mère Pipe.)

La mère Pipe. En démystifiant les mystifications depuis longtemps démystifiées, les intellectuels nous foutront la paix.

Voix de la foule. Vive la mère Pipe!

L'Homme. Je vous dis que c'est la mienne.

La mère Pipe. Ils seront niais, donc intelligents. Ils seront lâches, c'est-à-dire courageux; lucides, c'est-à-dire aveugles.

Édouard et Voix de la foule. Vive la mère Pipe!   150

Bérenger (à Édouard). Ce n'est pas le moment de faire le badaud. Laissez la mère Pipe.

Édouard (à l'Homme avec tiédeur). Rendez-lui la serviette ou bien dites où vous l'avez achetée.

L'Homme (hoquet). Nous avons besoin de héros!

Bérenger (à l'Homme, ayant enfin réussi à arracher la serviette). Qu'est-ce qu'il y a dedans?

L'Homme. Je ne sais pas, des documents.

Bérenger (ouvrant la serviette). Enfin! Espèce d'ivrogne.

Édouard (à l'Homme). Qu'est-ce que vous entendez par 160 héros?

La mère Pipe. Nous ferons des pas en arrière et nous serons à l'avant-garde de l'histoire!

L'Homme (pendant que Bérenger fouille dans la serviette et qu'Édouard y jette, par-dessus l'épaule de Bérenger, un regard distrait). Héros? C'est celui qui ose penser contre l'histoire et qui s'élève contre son temps. *(Fort.)* A bas la mère Pipe.

Bérenger (à l'Homme). Vous êtes complètement ivre!

L'Homme. Le héros combat son temps, il crée un autre temps. 170

Bérenger (sortant des bouteilles de vin de la serviette de l'Homme). Des bouteilles de vin!

L'Homme. A moitié vides! Ce n'est pas un crime!

La mère Pipe. . . . car l'histoire a raison!

L'Homme (poussé par Bérenger s'exclame en titubant et en tombant le derrière par terre) . . . Oui . . . quand la raison déraisonne . . .

Bérenger. Et vous êtes raisonnable, vous, à vous enivrer comme vous faites? *(A Édouard.)* Mais alors où est votre serviette? 180

L'Homme. Je vous disais bien que c'était la mienne! A bas la mère Pipe!

Édouard (toujours indifférent et immobile). Comment savoir? Je la cherche, vous voyez bien.

Voix de la foule. Vive la mère Pipe! Vive les oies de la mère Pipe! Elle change tout, ne change pas, change tout, ne change pas! *(Scandé.)*

Bérenger (à Édouard). Vous êtes impardonnable!

L'Homme (se relevant en titubant). A bas la mère Pipe!

Édouard (à Bérenger, pleurnichant). Oh, vous m'offensez! Je 190
suis malade.

Bérenger (à Édouard). Excusez-moi, que voulez-vous! Comprenez mon état.

(A ce moment un petit vieillard, petite barbiche blanche, l'air timide, pauvrement vêtu, entre par la droite en tenant, d'une main, un parapluie et de l'autre une énorme serviette noire, identique à celle qu'avait Édouard au second acte.)

L'Homme (montrant le Vieillard). La voilà votre serviette!
C'est peut-être ça.

(Bérenger se précipite vers le Vieillard.)

La mère Pipe. Si l'idéologie ne colle pas avec la réalité, nous
prouverons qu'elle colle et ce sera parfait. Les bons
intellectuels nous appuieront. Contre les vieux mythes
ils vous feront des antimythes. Nous remplacerons les
mythes . . .   200

Bérenger (au Vieillard). Pardon, Monsieur.

La mère Pipe. . . . par des slogans! . . . Et par les nouvelles
idées reçues!

Le Vieillard (saluant avec son chapeau). Pardon, Monsieur,
où se trouve le Danube s'il vous plaît?

L'Homme (au Vieillard). Êtes-vous pour le héros?

Bérenger (au Vieillard). Votre serviette ressemble à celle de
mon ami *(il le montre du doigt)*, Monsieur Édouard.

Édouard (au Vieillard). Très honoré de vous connaître.

Voix de la foule. Vive la mère Pipe!   210

Le Vieillard (à Édouard). La rue du Danube, s'il vous plaît.

Bérenger. Il ne s'agit pas de la rue du Danube.

Le Vieillard. Pas la rue du Danube. Le Danube lui-même.

L'Homme. Mais nous sommes à Paris.

Le Vieillard (à l'Homme). Je le sais. Je suis Parisien moi-
même.

Bérenger (au Vieillard). Il s'agit de la serviette!

L'Homme (au Vieillard). Il veut voir ce qu'il y a dans votre serviette.

Le Vieillard. Ça ne regarde personne. Moi-même je ne le sais 220 pas. Je suis discret avec moi-même.

Bérenger. De gré ou de force vous allez nous montrer . . .

(Bérenger, l'Homme et même Édouard tentent d'arracher la serviette des mains du Vieillard qui s'y oppose, en protestant.)

Le Vieillard (se débattant). Je ne permettrai pas!

La mère Pipe. Il n'y aura plus de profiteurs. C'est moi et mes oies . . .

(Tous se précipitent et bousculent le Vieillard essayant de prendre la serviette : l'Homme réussira à s'en saisir le premier; le Vieillard l'arrachera des mains de l'Homme; Édouard s'en ressaisira, le Vieillard la reprendra des mains d'Édouard. On peut compliquer le jeu en utilisant encore la serviette de l'Homme qu'on croira être celle du Vieillard. Déception à la vue des bouteilles, etc.)

Bérenger (à Édouard). Nigaud!

(Il se ressaisit de la serviette, le Vieillard la reprendra à nouveau, l'Homme la reprend des mains du Vieillard.)

L'Homme (la tend à Édouard). La voilà.

(Le Vieillard la reprend, il veut s'enfuir, on le rattrape, etc. Pendant tout ce jeu la mère Pipe continue son discours.)

La mère Pipe. . . . moi et mes oies qui distribuerons les biens publics. Nous partagerons équitablement. J'en garderai la part du lion pour moi et mes oies . . .   230

Voix de la foule. Vive les oies!

La mère Pipe. . . . pour fortifier les oies afin qu'elles puissent tirer avec plus de force les charrettes de l'État.

Voix de la foule. La part du lion pour les oies! La part du lion pour les oies!

L'Homme (criant vers la mère Pipe). Et la liberté de la
   critique?
La mère Pipe. Et marchons tous au pas de l'oie.
Voix de la Foule. Au pas de l'oie, au pas de l'oie.

*(On entend une sorte de marche cadencée et la foule qui crie: « Au
   pas de l'oie, au pas de l'oie. » Pendant ce temps, le Vieillard
   a réussi à s'enfuir avec sa serviette. Il sort de scène par la
   gauche suivi par Bérenger. Édouard qui a fait mine de suivre
   Bérenger et le Vieillard, revient sur ses pas et va s'étendre
   sur le banc en toussotant. L'homme ivre se dirige vers lui.)*

L'Homme (à Édouard). Ça ne va pas! Buvez un coup!   240

(Il veut lui offrir du vin de la bouteille à moitié vide.)

Édouard (se défendant). Non, merci.
L'Homme. Si, si, ça fait du bien. Ça remonte.
Edouard. Je ne veux pas être remonté.

*(L'Homme force Édouard à boire, il continue de se défendre; du
   vin coule par terre, la bouteille aussi peut tomber et se
   briser. L'Homme continue d'essayer de faire boire Édouard
   tout en s'adressant à la mère Pipe.)*

L'Homme (très ivre). La science et l'art ont fait beaucoup plus
   pour changer la mentalité que la politique. La révolution
   véritable se fait dans les laboratoires des savants, dans les
   ateliers des artistes. Einstein, Oppenheimer, Breton,
   Kandinski, Picasso, Pavlov, voilà les authentiques réno-
   vateurs. Ils étendent le champ de nos connaissances,
   renouvellent notre vision du monde, nous transforment. 250
   Bientôt, les moyens de production permettront à tout le
   monde de vivre. Le problème économique se résoudra de
   lui-même. Les révolutions publiques sont des ressenti-
   ments qui explosent maladroitement. *(Il prend une autre
   bouteille de vin de sa serviette et en boit une grosse gorgée.)*
   La pénicilline et la lutte contre l'alcoolisme sont bien plus
   efficaces que les changements de gouvernements.

La mère Pipe (à l'Homme). Salaud! Ivrogne! Ennemi du peuple! Ennemi de l'histoire! *(A la foule.)* Je vous dénonce l'ivrogne, ennemi de l'histoire. 260

Voix de la foule. A bas l'ennemi de l'histoire! Tuons l'ennemi de l'histoire!

Édouard (se relevant péniblement). Nous allons tous mourir. C'est la seule aliénation sérieuse!

Bérenger (entre, tenant à la main la serviette du Vieillard). Il n'y a rien dans la serviette!

Le Vieillard (suivant Bérenger). Rendez-la-moi, rendez-la-moi!

L'Homme. Je suis un héros! Je suis un héros! *(Il se précipite en titubant vers le fond du plateau et monte les escaliers, vers* 270 *la mère Pipe.)* Je ne pense pas comme tout le monde! Je vais le leur dire!

Bérenger (au Vieillard). Ce n'est pas la serviette d'Édouard, je vous la rends, excusez-moi.

Édouard. N'y allez pas. Penser contre son temps c'est de l'héroïsme. Mais le dire, c'est de la folie.

Bérenger. Ce n'est pas votre serviette. Mais alors où est la vôtre?

(Pendant ce temps, l'Homme est arrivé en haut des marches, près de la mère Pipe.)

La mère Pipe (fait apparaître une énorme serviette qu'on n'avait pas vue jusqu'à présent, la lève). Discutons librement! 280 *(Elle frappe, de sa serviette, sur la tête de l'Homme.)* A moi, mes oies! Une pâture pour vous, mes oies!

(La mère Pipe et l'Homme, luttant, tombent de l'autre côté de l'estrade. On verra, pendant la scène qui suivra, tantôt la tête de la mère Pipe, tantôt la tête de l'Homme, tantôt les deux à la fois, au milieu d'un vacarme épouvantable. Les oies crient: « Vive la mère Pipe! A bas l'ivrogne! » Puis à la fin des répliques qui vont suivre, une dernière fois, seule la

tête de la mère Pipe réapparaîtra, hideuse. La mère Pipe dira, avant de disparaître : «Mes oies l'ont liquidé.» Style guignol.)

Édouard. Le sage se tait. *(Au Vieillard.)* N'est-ce pas, Monsieur?

Bérenger *(se tordant les mains)*. Mais où est-elle! Il nous la faut.

Le Vieillard. Où se trouvent les quais du Danube? Vous pouvez me le dire maintenant.

(Il arrange sa tenue, ferme sa serviette vide, reprend son parapluie.

La mère Pipe, en frappant l'Homme de sa serviette l'a laissée s'ouvrir. Des cartons rectangulaires en sont sortis, qui sont tombés par terre.)

Bérenger. Mais la voilà, Édouard, votre serviette! C'est la serviette de la mère Pipe. *(Il aperçoit les cartons qui sont* 290 *tombés.)* Et voilà les documents!

Édouard. Vous croyez?

Le Vieillard *(à Édouard)*. Mais enfin, il a la manie de courir après toutes les serviettes. Que cherche-t-il?

(Bérenger se baisse, ramasse les cartons et revient sur le devant de la scène, près d'Édouard et du Vieillard, d'un air désolé.)

Édouard. C'est ma serviette qu'il veut trouver!

Bérenger *(montrant les cartons)*. Ce ne sont pas les documents. Ce ne sont que des jeux de l'oie!

Édouard *(à Bérenger)*. C'est un jeu amusant. *(Au Vieillard.)* Vous ne trouvez pas?

Le Vieillard. Je n'y ai plus joué depuis longtemps.   300

Bérenger *(à Édouard)*. De quoi vous préoccupez-vous! Il s'agit de la serviette . . . De la serviette avec les documents. *(Au Vieillard.)* Les preuves, pour arrêter le malfaiteur!

Le Vieillard. Ah, c'est cela, il fallait le dire plus tôt!

127

*(C'est à ce moment que la tête de la mère Pipe qui dit la réplique
mentionnée plus haut apparaît pour la dernière fois. Tout
de suite après, on entend le bruit du moteur d'un camion,
qui couvre les voix de la foule et aussi celles des trois personnages se trouvant sur le plateau et qui discutent, sans
qu'on les entende, avec beaucoup de gestes. Un sergent de
ville, qui est sans doute d'une taille démesurée apparaît,
avec un bâton blanc et tape sur les têtes des gens qui sont de
l'autre côté du mur et que l'on ne voit pas.)*

Le Sergent de ville *(que l'on voit de la tête, jusqu'à mi-corps,
tapant d'une main, sifflant de l'autre)*. Circulez, Messieurs-
dames, circulez . . .

*(La foule crie : « La police, la police. Vive la police! » L'Agent
continue de faire circuler, de la même manière; les bruits de
la foule s'atténuent progressivement, puis ne s'entendent.
plus. Un énorme camion militaire, venant de gauche bouche
la moitié du haut du plateau.)*

Édouard *(avec indifférence)*. Tiens, un camion militaire!
Bérenger *(à Édouard)*. Ne vous en occupez pas.   310

*(Un autre camion militaire, venant du côté opposé bouche
presque l'autre moitié du mur du fond de la scène, laissant
simplement une petite place; l'Agent qui reste entre les deux
camions, en haut, derrière le mur où se trouvait mère Pipe,
domine les camions.)*

Le Vieillard *(à Bérenger)*. Il fallait le dire, que vous cherchiez
la serviette de votre ami, avec les preuves. Je sais où elle
est.
Le Sergent de ville *(en haut, entre les camions, sifflant)*. Circulez, circulez.
Le Vieillard *(à Bérenger)*. Votre ami a dû l'oublier chez vous,
quand vous êtes sortis, dans votre précipitation!
Bérenger *(au Vieillard)*. Comment le savez-vous?

Édouard. C'est vrai, j'aurais dû y penser! Vous nous avez vus?

Le Vieillard. Pas du tout. Mais je le déduis, tout simplement. 320

Bérenger (à Édouard). Étourdi!

Édouard. Excusez-moi . . . Nous nous sommes tellement dépêchés!

(Du camion militaire descend un jeune soldat, un bouquet d'œillets rouges à la main. Il s'en sert comme d'un éventail. Il va s'asseoir, avec son bouquet à la main, sur le haut du camion les jambes pendantes.)

Bérenger (à Édouard). Allez la chercher, allez donc la chercher tout de suite. Vous êtes ahurissant! Moi je vais prévenir le Commissaire, qu'il nous attende. Dépêchez-vous et tâchez de me rejoindre au plus tôt. La Préfecture est tout au bout. Dans une entreprise comme celle-ci, je n'aime pas être seul sur la route. C'est désagréable. Vous comprenez. 330

Édouard. Je vous comprends, bien sûr, je vous comprends. *(Au Vieillard).* Merci, Monsieur.

Le Vieillard (à Bérenger). Pourriez-vous me dire maintenant où se trouve le quai du Danube?

Bérenger (à Édouard, qui n'a pas bougé). Dépêchez-vous donc, ne restez pas là. Revenez vite.

Édouard. Entendu.

Bérenger (au Vieillard). Je ne sais pas, Monsieur, excusez-moi.

Édouard (se dirige, à pas très lents, vers la droite, par où il va 340 *disparaître en disant, nonchalamment).* C'est entendu, je me dépêche. Un instant. Un instant.

Bérenger (au Vieillard). Il faut demander, il faut demander à un agent!

(En sortant, Édouard manque de se heurter à un second agent de police, qui apparaît en sifflant, et faisant lui aussi des signaux avec son bâton blanc; il doit être d'une taille énorme. Pour cela, peut-être, doit-il être monté sur des échasses.)

Édouard (évitant l'Agent qui ne le regarde pas). Oh! Pardon, Monsieur l'Agent!

(Il disparaît.)

Bérenger (au Vieillard). En voilà un. Vous pouvez vous renseigner.

Le Vieillard. Il est très occupé. Dois-je oser?

Bérenger. Mais oui. Il est gentil. *(Bérenger se dirige vers le fond* 350 *de la scène après avoir crié, une dernière fois en direction d'Édouard.)* Dépêchez-vous!

(Tandis que le Vieillard très timidement, très hésitant, se dirige vers le Second Agent.)

Le Vieillard (timidement, au Deuxième Agent). Monsieur l'Agent! Monsieur l'Agent!

Bérenger (il s'est dirigé vers le fond de la scène, et met le pas sur la première marche du fond). Allons vite!

Le Premier Agent (entre deux coups de sifflet, pointant en bas, vers Bérenger, son bâton blanc, pour que celui-ci s'éloigne). Circulez, circulez.

Bérenger. C'est terrible. Quel embouteillage. Jamais, jamais 360 je n'arriverai. *(S'adressant tantôt à l'un, tantôt à l'autre agent.)* Heureusement, Messieurs les agents, que vous êtes là pour régler la circulation. Vous ne savez pas à quel point cet embouteillage est malencontreux pour moi!

Le Vieillard (au Deuxième Agent). Excusez-moi, Monsieur l'Agent.

(Pour s'adresser à l'Agent, le Vieillard a respectueusement en-levé son chapeau et salué bien bas; l'Agent ne répond pas, il se démène, fait des signaux, auxquels répond, lui aussi avec son bâton blanc, l'Agent qui se trouve comme perché de l'autre côté du mur et dont on ne voit toujours que le haut du corps et qui siffle énergiquement. Bérenger se démène, va en direction d'un agent, puis de l'autre.)

Bérenger (au Premier Agent). Mais dépêchez-vous, j'ai besoin
de passer. Il s'agit d'une mission très importante, salu-
taire.

Le Premier Agent (continue de siffler et fait signe avec son bâton 370
à Bérenger de circuler). Circulez!

Le Vieux Monsieur (au Deuxième Agent). Monsieur l'Agent . . .
(A Bérenger.) Il ne répond pas. Il est très occupé.

Bérenger. Ah, ces camions qui ne démarrent plus. *(Il regarde
sa montre.)* Heureusement, il est toujours la même heure.
(Au Vieillard.) Demandez-lui, demandez-lui donc, il ne
vous mangera pas.

Le Vieux Monsieur (au Deuxième Agent qui siffle toujours).
Monsieur l'Agent, s'il vous plaît.

Le Deuxième Agent (au Premier). Fais reculer les camions! 380
*(Bruit des moteurs des camions qui ne démarrent toujours
pas.)* Fais-les avancer.

(Mêmes bruits.)

Le Soldat (à Bérenger). Si je connaissais la ville, je lui don-
nerais le renseignement. Mais je ne suis pas d'ici.

Bérenger (au Vieillard). Monsieur l'Agent doit vous donner
satisfaction. C'est un honneur pour lui. Parlez-lui plus
fort.

*(Le Soldat continue de s'éventer, pendant ce temps, avec son
bouquet de fleurs rouges.)*

Le Vieux Monsieur (au Deuxième Agent). Je m'excuse, Monsieur l'Agent, écoutez-moi, Monsieur l'Agent.

Le Deuxième Agent. Quoi? 390

Le Vieux Monsieur. Je voudrais vous demander, Monsieur
l'Agent, un modeste renseignement!

L'Agent de police (rogue). Minute! *(Au Soldat.)* Pourquoi
es-tu descendu de ton camion, toi? Hein?

Le Soldat. Je . . . je . . . mais puisqu'il s'est arrêté! . . .

Bérenger (à part). Tiens, l'Agent a la voix du Commissaire.

Serait-ce lui! *(Il va regarder de plus près.)* Non. Il n'était pas si grand.

Le Deuxième Agent (de nouveau au Vieux Monsieur tandis que l'autre Agent règle toujours la circulation). Qu'est-ce que c'est encore, vous! 400

Bérenger (à part). Non, ce n'est pas lui. Sa voix n'était tout de même pas aussi dure.

Le Vieux Monsieur (au Deuxième Agent). Le quai du Danube, s'il vous plaît, je m'excuse, Monsieur l'Agent.

Le Deuxième Agent (sa réponse s'adresse à la fois au Vieux Monsieur, au Premier Agent et aux chauffeurs invisibles des deux camions : cela déclenche, de la part de tout le monde, un mouvement général désordonné qui doit être comique; les deux camions bougent aussi). A gauche! A 410 droite! Tout droit! En arrière! En avant!

(Le Second Agent de police, en haut, que l'on ne voit toujours que jusqu'à la ceinture, tourne la tête et bouge son bâton, «à gauche», «à droite», «tout droit», «en arrière», «en avant»; gestes symétriques de Bérenger, sur place; le Soldat fait de même avec son bouquet de fleurs. Le Vieux Monsieur fait un mouvement pour aller vers la gauche, puis vers la droite, puis tout droit, en arrière, en avant.)

Bérenger (à part). Tous les policiers ont la même voix.

Le Vieux Monsieur (revenant vers le Deuxième Agent de police). Excusez-moi, Monsieur l'Agent, excusez-moi, j'ai l'oreille un peu dure. Je n'ai pas très bien compris la direction que vous m'avez indiquée . . . où se trouve le quai du Danube, s'il vous plaît? . . .

Le Deuxième Agent (au Vieux Monsieur). Vous vous payez ma tête! Non, mais, des fois . . .

Bérenger (à part). Le Commissaire était plus aimable . . . 420

Le Deuxième Agent (au Vieux Monsieur). Allez . . . ouste . . . si vous êtes sourd, ou si vous êtes idiot . . . foutez-moi le camp!

(Sifflets du Second Agent qui se démène après avoir bousculé et fait chanceler le Vieux Monsieur, qui a laissé tomber sa canne.)

Le Soldat (toujours sur les marches ou sur le toit du camion). Votre canne, Monsieur !

Le Vieux Monsieur (ramassant sa canne; au Deuxième Agent). Ne vous fâchez pas, Monsieur l'Agent, ne vous fâchez pas !

(Il est très apeuré.)

Le Deuxième Agent (continuant de régler l'embouteillage). A gauche . . .   430

Bérenger (au Vieux Monsieur, tandis que les camions bougent un peu dans le fond de la scène, menaçant, une seconde, le Premier Agent d'écrasement). L'attitude de cet agent est vraiment choquante !

Le Premier Agent. Attention, crétins !

Bérenger (au Vieux Monsieur). . . . Il a pourtant le devoir d'être poli avec le public ! . . .

Le Premier Agent (aux chauffeurs supposés des deux camions). A gauche !

Le Deuxième Agent (même jeu). A droite !   440

Bérenger (au Vieux Monsieur) . . . Cela doit certainement être inscrit dans le règlement ! . . . *(Au Soldat.)* Vous ne pensez pas ?

Le Premier Agent (même jeu). A droite !

Le Soldat (très enfantin). Je ne sais pas . . . *(s'éventant avec les fleurs)* moi, j'ai mes fleurs.

Bérenger (à part). Lorsque je verrai son chef, l'Architecte, je lui en parlerai.

Le Deuxième Agent (même jeu). Tout droit !

Le Vieux Monsieur. Ça ne fait rien, Monsieur l'Agent, ex- 450
cusez-moi . . .

(Il sort à gauche.)

Le Deuxième Agent (même jeu). A gauche, gauche!

(Tandis que le Deuxième Agent dit de plus en plus vite, d'une manière de plus en plus automatique : «Tout droit! à gauche! à droite! tout droit! en arrière! en avant!, etc.» et que le Second Agent répète les ordres de la même manière, en tournant la tête, à droite, à gauche, etc., comme une marionnette.)

Bérenger. Je pense, Monsieur le Soldat, que nous sommes trop polis, beaucoup trop timides, avec les policiers; nous leur avons donné de mauvaises habitudes, c'est notre faute!

Le Soldat (tendant le bouquet de fleurs à Bérenger qui s'est rapproché de lui et a monté une ou deux marches). Voyez, comme cela sent bon!

Bérenger. Merci, non. Je n'en prends pas.   460

Le Soldat. Ce sont des œillets, n'est-ce pas?

Bérenger. Oui, mais là n'est pas la question. Je dois absolument continuer ma route. Cet embouteillage, c'est une catastrophe!

Le Deuxième Agent (à Bérenger; puis il va vers le jeune Soldat, dont Bérenger s'est un peu éloigné). Circulez!

Bérenger (s'éloignant de l'Agent qui vient de lui adresser cet ordre). Ces camions vous ennuient aussi, Monsieur l'Agent. Cela se voit sur votre visage. Vous avez bien raison.   470

Le Deuxième Agent (au Premier). Siffle tout seul, un instant.

(Le Premier Agent continue son jeu.)

Le Premier Agent. Entendu! Vas-y!

Bérenger (au Deuxième Agent). . . . La circulation est devenue impossible. Surtout, lorsqu'il y a des choses . . . des choses qui ne peuvent attendre.

Le Deuxième Agent (au Soldat, montrant du doigt le bouquet d'œillets rouges que celui-ci tient toujours dans sa main, en

s'éventant). Tu n'as pas autre chose à faire que de
t'amuser avec ça?

Le Soldat (poliment). Je ne fais pas de mal, Monsieur l'Agent, 480
ce n'est pas cela qui empêche les camions de démarrer.

Le Deuxième Agent. Insolent, ça enraye le moteur!

*(Il donne une gifle au Soldat qui ne dit rien; l'Agent est tellement
grand qu'il n'a pas besoin de monter les marches pour atteindre le Soldat.)*

Bérenger (à part, au milieu du plateau, indigné). Oh!

*Le Deuxième Agent (arrachant les fleurs des mains du Soldat et
les jetant, loin, dans la coulisse).* Imbécile! tu n'as pas
honte! Remonte dans ton camion avec tes camarades.

Le Soldat. Bien, Monsieur l'Agent.

Le Deuxième Agent (au Soldat). Grouille-toi, grouille-toi donc,
animal!

Bérenger (à la même place). Ça c'est trop fort!   490

*Le Soldat (remontant dans son camion, aidé par un coup de poing
du Second Agent et par un coup de bâton du Premier, sur la
tête).* Oui, Monsieur! Oui, Monsieur!

(Il disparaît dans le camion.)

Bérenger (au même endroit). Ça c'est trop fort!

*Le Deuxième Agent (aux autres militaires qui sont supposés être
dans les camions; peut-être devrait-on les voir sous
forme de poupées ou peints sur des banquettes également
peintes, dans les camions).* Vous embarrassez la circulation! Vous nous embêtez avec vos camions!

Bérenger (à part, au même endroit). Je considère qu'un pays 500
est perdu, dans lequel la police a le pas . . . et la main sur
l'armée.

Le Deuxième Agent (se tournant vers Bérenger). De quoi vous
mêlez-vous? Est-ce que ça vous regarde . . .

Bérenger. Mais je n'ai rien dit, Monsieur l'Agent, je n'ai rien
dit . . .

Le Deuxième Agent. Il est facile de deviner ce qui se passe dans les cerveaux des gens de votre espèce!

Bérenger. Comment savez-vous ce que . . .

Le Deuxième Agent. Cela ne vous regarde pas. Tâchez de 510 rectifier vos mauvaises pensées . . .

Bérenger (bafouillant). Mais pas du tout, Monsieur l'Agent, vous faites erreur, je m'excuse, mais, pas du tout, je ne . . . jamais je n'aurais . . . Au contraire, même . . .

Le Deuxième Agent. D'abord, qu'est-ce que vous fichez là? Montrez-moi vos papiers!

Bérenger (cherchant dans ses poches). Mais oui, comme vous voulez, Monsieur l'Agent . . . C'est votre droit!

Le Deuxième Agent (qui se trouve maintenant au milieu du plateau, près de Bérenger qui, à ses côtés, paraît, évidemment, 520 *tout petit).* Allez, plus vite que ça. Je n'ai guère de temps à perdre!

Le Premier Agent (toujours en haut, entre les deux camions). Alors, tu me laisses faire tout seul le désembouteillage?

(Il siffle.)

Le Deuxième Agent (criant vers le Premier). Une seconde. Maintenant, je m'occupe de Monsieur. *(A Bérenger.)* Plus vite que ça. Alors, ça ne vient pas, les papiers?

Bérenger (qui a trouvé ses papiers). Les voici, Monsieur l'Agent!

Le Deuxième Agent (examinant les papiers, puis les rendant à 530 *Bérenger).* Ouais . . . Ouais . . . c'est en ordre!

(Le Premier Agent sifflle, agite son bâton blanc. Bruits de moteurs des camions qui s'écartent très légèrement l'un de l'autre, puis reviennent à leurs places.)

Le Premier Agent (au Deuxième). T'en fais pas. On l'aura quand même, à la prochaine occasion!

Bérenger (au Deuxième Agent, reprenant ses papiers). Merci beaucoup, Monsieur l'Agent.

Le Deuxième Agent. Y a pas de quoi . . .

136

Bérenger (au Deuxième Agent qui se préparait à s'éloigner). Maintenant que vous savez qui je suis, et que vous connaissez mon cas, je me permets de vous demander votre conseil, et votre aide. 540

Le Deuxième Agent. Je ne le connais pas, votre cas.

Bérenger. Mais si, Monsieur l'Agent, voyons. Vous avez bien compris que je cherche le Tueur. Que puis-je faire d'autre dans ces parages?

Le Deuxième Agent. M'empêcher de régler la circulation, par exemple.

Bérenger (sans avoir entendu cette dernière réplique) . . . On peut mettre la main sur lui, j'ai toutes les preuves . . . C'est-à-dire, c'est Édouard qui les a, il me les apportera, elles sont dans sa serviette . . . Je les ai, en principe . . . 550 en attendant, je dois me rendre à la Préfecture, c'est encore assez loin. Peut-on m'y accompagner?

Le Deuxième Agent (au Premier). Tu l'entends? Il en a des prétentions!

Le Premier Agent (s'interrompant dans son jeu; au Deuxième). Il est du milieu? C'est un indicateur?

Le Deuxième Agent (au Premier). Même pas! Ah, ces cocos-là!

(Il siffle pour la circulation.)

Bérenger. Écoutez-moi, je vous en prie, c'est tout à fait sérieux. Vous avez vu. Je suis un homme honorable.

Le Deuxième Agent (à Bérenger). Qu'est-ce que ça peut vous 560 faire, tout ça?

Bérenger (se redressant). Pardon, pardon, je suis citoyen, ça me regarde, cela nous concerne tous, nous sommes tous responsables des crimes qui . . . Enfin, je suis un vrai citoyen.

Le Deuxième Agent (au Premier). Tu l'entends? Ce qu'il est bavard.

Bérenger. Je vous le demande encore une fois, Monsieur l'Agent. *(Au Premier Agent.)* Et à vous aussi!

Le Premier Agent (qui s'occupe toujours de la circulation). Ça 570
va . . . ça va!

Bérenger (continuant, au Deuxième Agent). . . . A vous aussi :
peut-on m'accompagner jusqu'à la Préfecture? Je suis
un ami du Commissaire; de l'Architecte!

Le Deuxième Agent. Ce n'est pas mon rayon. Vous n'êtes pas
idiot, vous voyez bien que je suis dans la circulation!

Bérenger (avec plus de courage). Je suis un ami du Commissaire! . . .

*Le Deuxième Agent (se penchant vers Bérenger, et lui criant
presque dans l'oreille).* Je-suis-dans-la-cir-cu-la-tion! 580

Bérenger (reculant légèrement). Oui, oui, mais . . . tout de
même . . . l'intérêt public! . . . le salut public! . . .

Le Deuxième Agent. Le salut public? On s'en occupe. Quand
on a le temps. La circulation d'abord!

Le Premier Agent. Qu'est-ce qu'il est cet individu?

Bérenger. Un simple citoyen, je vous assure . . .

Le Premier Agent (entre deux coups de sifflet). Est-ce qu'il
a un appareil photographique?

Bérenger. Je n'en ai pas, Messieurs, fouillez-moi *(Il montre le
fond de ses poches.)* . . . Je ne suis pas reporter . . . 590

Le Deuxième Agent (à Bérenger). T'as de la chance de ne pas
l'avoir sur toi, je t'aurais cassé la figure!

Bérenger. Je ne tiendrai pas compte de votre menace. Le salut
public est plus important que ma personne. Il a tué Dany,
aussi.

Le Deuxième Agent. Qui c'est, Dany?

Bérenger. Il l'a tuée! . . .

*Le Premier Agent (entre deux coups de sifflet, des signaux,
des : « A droite! à gauche! »).* C'est sa poule . . .

Bérenger. Non, Monsieur, c'était ma fiancée. Ça devait 600
l'être.

Le Deuxième Agent (au Premier). C'est bien ça. Il veut venger
sa poule.

Bérenger. Le crime ne doit pas rester impuni!

Le Premier Agent. Ce qu'ils peuvent être têtus! Ah là là!

Le Deuxième Agent (plus fort, revenant sur Bérenger). Ce n'est
pas mon boulot, vous m'entendez? Votre histoire ne
m'intéresse pas. Puisque vous êtes copain avec le chef,
allez donc le voir, et fichez-moi la paix.

Bérenger (essayant de discuter). Monsieur l'Agent . . . Je . . .   610
je . . .

*Le Deuxième Agent (même jeu, tandis que le Premier Agent rit
sardoniquement).* . . . je suis gardien de la paix, donc
fichez-la-moi! Vous connaissez la direction . . . *(Il lui
montre le fond de la scène, bouché par les camions.)* . . .
Alors, déguerpissez, la voie est libre!

Bérenger. Bon, Monsieur l'Agent, bon, Monsieur l'Agent!

Le Deuxième Agent (au Premier, ironiquement). Laisse passer
Monsieur! *(Comme par enchantement, les camions s'écartent; tout le fond de la scène s'est défait, le décor devant*   620
être mobile.) Laisse passer Monsieur! *(Le Premier
Agent a disparu avec le mur du fond et les camions; on
aperçoit, maintenant, dans le fond du plateau, une très
longue rue ou avenue, avec, tout au loin dans le soleil
couchant, le bâtiment de la Préfecture; un tramway en
miniature traverse la scène, dans le lointain.)* Laisse passer
Monsieur.

*Le Premier Agent (réapparaissant et disparaissant avec le décor
qui s'écarte au-dessus du toit d'une maison de la rue qui
vient de surgir).* Allez, filez!   630

(Il lui fait signe de filer, et disparaît.)

Bérenger. C'est bien ce que je fais! . . .
Le Deuxième Agent (à Bérenger) Je vous déteste!

*(Le Deuxième Agent a soudainement disparu à son tour; la
scène s'est légèrement obscurcie. Bérenger est maintenant
seul.)*

Bérenger (en direction du Deuxième Agent disparu). C'est
plutôt moi qui serais en droit de vous dire cela! Je n'ai pas

le temps pour le moment de . . . Mais vous aurez de mes nouvelles! *(Il crie vers les agents disparus.)* Vous au-rez-de-mes-nouvelles!!

(L'Écho répond : « de-mes-nou-ve-elles » . . . *Bérenger est donc absolument seul sur scène.*

Dans le fond, on ne voit plus le tramway en miniature. Le metteur en scène, le décorateur, le spécialiste de l'éclairage doivent faire sentir la solitude de Bérenger, le vide qui l'entoure, le désert de cette avenue entre la ville et la campagne. On peut faire disparaître une partie des décors mobiles, afin d'élargir le lieu scénique. Bérenger devra avoir l'air de marcher longtemps, pendant la scène qui suit. Si l'on ne dispose pas d'une plaque tournante, Bérenger peut faire des pas sur place. Puis, on pourra, par exemple, de nouveau faire apparaître des murs, les rapprocher en couloir, afin de donner l'impression que Bérenger va être pris dans un guet-apens; la lumière ne changera pas : c'est le crépuscule, avec un soleil roux que l'on apercevra, aussi bien lorsque la scène est large, qu'au fond du corridor qui pourra être formé par les décors représentant une sorte de longue rue étroite; c'est un temps, un crépuscule figé.

Dans sa marche, Bérenger aura l'air de plus en plus inquiet; il part, sur place ou non, d'un pas très vif au début; ensuite, de plus en plus souvent, il se retournera, son pas se fera moins vif, hésitant; il regardera, ensuite, à sa droite, à sa gauche, de nouveau derrière lui; il aura l'air, finalement, de vouloir s'enfuir, sera sur le point de retourner, aura du mal à se retenir; puis, se décidant avec effort, repartira de l'avant; si les décors ne sont pas mobiles et ne peuvent changer sans baisser le rideau ou sans que l'on fasse le noir, Bérenger peut, tout aussi bien, aller d'un bout à l'autre de la scène, puis faire le parcours en sens inverse, etc. Finalement, il avancera avec précaution, regardant de tous les côtés; pourtant, vers la fin de l'acte, lorsque le dernier personnage de cette pièce fera son apparition,—ou se fera

*d'abord entendre, ou se fera entendre en même temps qu'il
apparaîtra,—Bérenger devra être pris au dépourvu : ce
personnage devra donc apparaître au moment où Bérenger
regardera d'un autre côté. D'autre part, l'apparition du
personnage devra être préparée par Bérenger lui-même : on
devra sentir la proximité de sa présence par la montée même
de l'angoisse de Bérenger.)*

Bérenger *(se mettant en marche, sur place, par exemple; tout en
marchant, il tourne la tête du côté des policiers, coulisse
droite, leur montre le poing).* Je ne peux pas tout faire à 640
la fois. Je m'occupe de l'assassin. Je m'occuperai de
vous aussi. *(Il marche deux secondes en silence, d'un pas
pressé.)* Votre attitude est inadmissible! Ce n'est pas beau
de rapporter, mais j'en parlerai quand même au Commissaire en chef, vous pouvez en être sûrs! *(Il marche en
silence.)* Pourvu qu'il ne soit pas trop tard! *(Bruit du
vent; une feuille morte voltige; Bérenger relève le col de son
pardessus.)* Ce vent, maintenant, pardessus le marché. Et
le jour qui baisse. Édouard pourra-t-il me rejoindre à
temps? Édouard pourra-t-il me rejoindre à temps? Qu'il est 650
lent, ce garçon! *(Marche en silence; les transformations du
décor se font pendant que Bérenger marche.)* Il faudra tout
changer. D'abord, il faudra commencer par réformer la
police . . . Ces gens-là ne sont bons que pour vous apprendre les bonnes manières, mais quand vous avez
vraiment besoin d'eux . . . quand c'est pour vous défendre . . . à d'autres . . . ils vous laissent tomber . . . *(Il
se retourne.)* Ils sont déjà loin avec leurs camions . . .
Dépêchons-nous. *(Il repart.)* Oui . . . quand c'est pour
vous défendre, ils aiment mieux vous laisser tomber! *(Il* 660
regarde devant lui.) Il faut que j'arrive avant la nuit. Il
paraît que la route n'est pas très sûre. C'est encore loin . . .
Ça n'approche pas . . . je n'avance pas. C'est comme si je
marchais sur place. *(Silence.)* Elle n'en finit plus cette
avenue, avec ces rails de tramway . . . *(Silence.)* Voilà

tout de même les barrières, le boulevard extérieur . . . *(Il marche en silence)* Je frissonne. C'est le vent froid, la cause. On dirait que j'ai peur, ce n'est pas vrai. Je suis habitué à la solitude . . . *(Il marche en silence.)* J'ai toujours été seul . . . Pourtant j'aime l'humanité, mais de 670 loin. Qu'est-ce que cela peut faire, puisque je m'intéresse à son sort? La preuve : j'agis . . . *(Il sourit.)* J'agis . . . j'agis . . . j'agis . . . difficile à prononcer! Enfin, je cours des dangers peut-être, pour elle . . . et pour Dany, aussi. Des dangers? L'Administration me défendra. Chère Dany, les agents de police ont souillé ta mémoire. Ils me le payeront. *(Il regarde derrière lui, devant lui, il s'arrête.)* Je suis à mi-chemin. Pas tout à fait. A peu près . . . *(Il repart, d'un pas indécis; en marchant, il jette des regards derrière lui.)* Édouard! C'est vous Édouard!? *(L'Écho* 680 *répond :* « *ou . . . É . . . ouard . . .* ») Non . . . ce n'est pas Édouard! . . . Une fois qu'il sera arrêté, ligoté, mis hors d'état de nuire, le printemps reviendra pour toujours, toutes les cités seront radieuses . . . Je serai récompensé. Ce n'est pas cela que je cherche. Avoir fait mon devoir, suffit . . . Pourvu qu'il ne soit pas trop tard, pourvu qu'il ne soit pas trop tard. *(Bruit du vent ou cri d'une bête. Bérenger s'arrête.)* Si je retournais . . . chercher Édouard? On irait demain à la Préfecture. Oui, j'irai demain, avec Édouard . . . *(Il fait demi-tour, un pas vers le chemin du* 690 *retour.)* Non. Édouard me rejoindra certainement, d'une seconde à l'autre. *(A soi-même.)* Pense à Dany. Je dois venger Dany. Je dois empêcher le mal! Oui, oui, j'ai confiance. D'ailleurs, je suis trop loin maintenant, il fait plus sombre sur le chemin de la maison. C'est plus clair par ici! Le chemin de la Préfecture est encore le plus sûr. *(Il crie encore.)* Édouard! Édouard!

L'Écho. É-dou-ard . . . ou . . . ard . . .

Bérenger. On ne peut plus voir s'il vient ou non. Peut-être est-il tout près. Allons. *(Reprenant sa route avec beaucoup* 700 *de précaution.)* Ça n'en a pas l'air, mais j'ai fait du

chemin . . . Si, si . . . on ne peut le nier . . . On ne le dirait
pas, mais j'avance . . . J'avance . . . Il y a les champs labourés
à ma droite et là, la rue déserte . . . On ne risque plus
d'embouteillage, au moins, on peut avancer! *(Il rit.*
L'Écho répète vaguement le rire . . . Bérenger tourne la
tête, effrayé.) Quoi? . . . C'est l'écho . . . *(Il reprend sa*
marche.) Il n'y a personne, voyons . . . Et là, qui est-ce?
là, derrière cet arbre! *(Il se précipite derrière un arbre*
dépouillé qui a pu apparaître dans le décor en mouvement.) 710
Mais non, personne . . . *(Une feuille d'un vieux journal*
tombe de l'arbre.) Aah . . . J'ai peur d'un journal maintenant. Je suis bête! *(Il éclate de rire; l'Écho répète :* «e . . .
suis . . . bête . . .», *ainsi que l'éclat de rire déformé.)* Il faut
que j'avance . . . Il faut continuer! Sous la protection de
l'Administration, j'avance . . . j'avance . . . il faut . . . il
faut . . . *(Arrêt.)* Non. Non. Ce n'est pas la peine, de
toute façon j'arriverai trop tard. Ce n'est pas ma faute,
c'est la faute de . . . c'est la faute de . . . de la circulation,
l'embouteillage m'a retardé . . . Et surtout la faute 720
d'Édouard . . . il oublie tout, il oublie tout celui-là . . .
L'assassin va tuer peut-être cette nuit . . . *(Sursaut.)* Je
dois absolument empêcher cela. Je dois y aller. J'y vais.
(Encore deux ou trois pas en direction de la Préfecture sup-
posée.) Dans le fond, cela revient au même, puisqu'il est
trop tard. Quelques victimes de plus, ce n'est pas grand-
chose, au point où nous en sommes! . . . Nous irons
demain, nous irons demain Écouard et moi, c'est bien
plus simple, ce soir les bureaux seront fermés, ils le sont
peut-être déjà . . . A quoi cela servirait de . . . *(Il crie vers* 730
la droite, en coulisse.) Édouard! Édouard!!
L'Écho. É . . . ard . . . É . . . ard.
Bérenger. Il ne viendra plus. Pas la peine d'insister. Il est trop
tard. *(Il regarde sa montre.)* Ma montre s'est arrêtée . . .
Tant pis, rien n'est perdu, pour attendre . . . J'irai demain, avec Édouard! . . . Le Commissaire l'arrêtera
demain. *(Il se retourne.)* Où est la maison? Pourvu que je

m'y retrouve! C'est par là! *(Il se retourne vivement, encore, et voit, soudain, tout près, devant lui, le Tueur.)* Ah!...

(Bien entendu, le décor ne bouge plus. Il n'y a d'ailleurs presque plus de décor. Il ne reste plus qu'un mur, un banc. Le vide de la plaine. Vague lueur à l'horizon. Les projecteurs éclairent les deux personnages d'une lumière blafarde, le reste est dans la pénombre.)

Le Tueur (ricanement; il est tout petit, mal rasé, chétif, chapeau déchiré sur la tête, vieille gabardine usée, il est borgne; son œil unique a des reflets d'acier; figure immobile, comme figée; des vieux souliers aux bouts troués laissent apparaître ses orteils; à son apparition, signalée par son ricanement, il doit se trouver debout sur un banc, par exemple, ou sur un pan de mur; il en descendra, tranquillement, et s'approchera, à peine ricanant, de Bérenger; c'est à ce moment-là, surtout, que l'on s'apercevra de la petitesse de sa taille.

Une autre possibilité : pas de Tueur. On n'entend que son ricanement. Bérenger parle seul dans l'ombre).

Bérenger. C'est lui, c'est le Tueur! *(Au Tueur.)* Alors, c'est 740 vous!

Le Tueur (ricane, à peine. Bérenger regarde autour de lui, avec inquiétude).

Bérenger. Rien que la plaine assombrie, tout autour ... Ce n'est pas la peine de me le dire, je m'en aperçois aussi bien que vous.

(Il regarde en direction de la Préfecture, au loin.)

Le Tueur (ricane à peine).

Bérenger. Elle est trop loin, la Préfecture? C'est ce que vous venez de dire? Je le sais. *(Ricanement du Tueur.)* Ou est-ce moi qui ai parlé? *(Ricanement du Tueur.)* Vous 750 vous moquez de moi! J'appelle la police, on va vous

144

arrêter. *(Ricanement du Tueur.)* Vous dites que c'est
inutile, on ne m'entendrait pas d'ici?

*(L'assassin descend de son banc ou de son pan de mur et s'ap-
proche, avec une indifférence marquée, en ricanant vaguement, de Bérenger; il a les deux mains dans le poches.)*

Bérenger *(à part)*. Ces sales flics, ils ont fait exprès de me
laisser seul avec lui. Ils veulent faire croire qu'il ne s'agit
que d'un règlement de comptes. *(A l'assassin, criant
presque.)* Pourquoi? Dites-moi pourquoi?! *(L'assassin
ricane, hausse à peine les épaules; il est tout près de Bérenger; Bérenger doit paraître non seulement plus grand, mais
aussi beaucoup plus vigoureux que le Tueur presque nain.* 760
Bérenger éclate d'un rire nerveux.) Oh, mais vous êtes
bien chétif, trop chétif pour un criminel, mon pauvre ami!
Vous ne me faites pas peur! Regardez-moi, regardez
comme je suis plus fort que vous. D'une chiquenaude,
d'une chiquenaude, je peux vous faire tomber. Je vous
mets dans ma poche. M'avez-vous compris? *(Même
ricanement de l'assassin.)* Vous-ne-me-fai-tes-pas-peur!
(Ricanement de l'assassin.) Je pourrais vous écraser
comme un ver de terre. Je ne le ferai pas. Je veux comprendre. Vous allez répondre à mes questions. Vous êtes 770
un être humain, après tout. Vous avez peut-être des raisons. Vous devez m'expliquer, sinon je ne sais ce que . . .
Vous allez me dire pourquoi . . . Répondez!

*(Le Tueur ricane, hausse à peine les épaules. Bérenger doit être
pathétique et naïf, assez ridicule; tout son jeu doit paraître
à la fois grotesque et sincère, dérisoire et pathétique. Il parle
avec une éloquence qui doit souligner les arguments
tristement inutiles et périmés, qu'il avance.)*

Bérenger. Quelqu'un qui fait ce que vous faites, le fait peut-
être parce que . . . Ecoutez . . . Vous avez empêché mon
bonheur, celui de tant d'autres . . . Ce quartier de la ville

si lumineux, qui allait sans doute rayonner dans le monde
entier . . . un nouveau rayonnement de la France! S'il
vous reste encore un sentiment quelconque pour votre
patrie . . . cela aurait rayonné sur vous, cela vous aurait 780
touché vous aussi avec tant d'autres, vous aurait rendu
heureux vous-même . . . Il fallait attendre, ce n'était
guère qu'une affaire de patience . . . L'impatience, c'est
cela qui gâche tout . . . oui, vous auriez été heureux, le
bonheur serait arrivé jusqu'à vous, il se serait élargi,
peut-être ne le saviez-vous pas, peut-être ne le croyiez-
vous pas . . . Vous aviez tort . . . Eh bien, c'est votre
propre bonheur que vous avez détruit en même temps
que le mien et celui de tous les autres . . . *(Léger ricanement du Tueur.)* Vous ne croyez sans doute pas au bon- 790
heur. Vous croyez que le bonheur est impossible dans ce
monde? Vous voulez détruire le monde parce que vous
pensez que le monde est condamné au malheur. N'est-ce
pas? C'est bien cela? Répondez!! *(Ricanement du Tueur.)*
Vous n'avez pas songé un seul instant que vous vous
trompiez, peut-être. Vous êtes sûr d'avoir raison. C'est
de l'orgueil stupide, de votre part. Avant de porter sur la
question un jugement définitif, laissez au moins les
autres faire leurs expériences. Ils essaient de réaliser,
pratiquement, techniquement, ici, sur cette terre même, 800
ce bonheur: ils réussiront peut-être, qu'en savez-vous?
s'ils ne réussissent pas, vous verrez après. *(Ricanement de
l'assassin.)* Vous êtes un pessimiste? *(Ricanement de
l'assassin.)* Vous êtes un nihiliste? *(Ricanement de l'assassin.)* Un anarchiste? *(Ricanement de l'assassin.)* Peut-être
n'aimez-vous pas le bonheur? Peut-être le bonheur est-il
autre chose pour vous? Dites-moi quelle est votre con-
ception de la vie; quelle est votre philosophie? Vos
mobiles? Vos buts? Répondez!! *(Ricanement de l'assassin.)*
Écoutez-moi : vous m'avez fait personnellement le plus 810
grand mal, en détruisant tout ce que . . . enfin, passons . . .
ne parlons pas de moi. Mais vous avez tué Dany! Que

146

vous a-t-elle fait, Dany? C'était un être adorable, avec
quelques défauts, sans doute, elle était peut-être un peu
coléreuse, un peu capricieuse, mais son cœur était bon et
sa beauté excusait tout! Si on tuait toutes les filles capricieuses, parce qu'elles sont capricieuses, ou les voisins
parce qu'ils font du bruit et vous empêchent de dormir,
ou quelqu'un parce qu'il a une autre opinion que vous, ce
serait stupide, n'est-ce pas? Eh bien, c'est ce que vous faites! 820
N'est-ce pas? N'est-ce pas? *(Ricanement de l'assassin.)*
Ne parlons plus de Dany, c'était ma fiancée, vous pouvez
m'objecter qu'il s'agit là encore d'une question person-
nelle. Mais dites-moi alors . . . que vous a fait l'officier
du génie, l'officier d'état-major? *(Ricanement de l'assassin.)* D'accord, d'accord . . . je comprends : il y a des
personnes qui détestent l'uniforme. Ils y voient, à tort
ou à raison, le symbole de l'autorité abusive, de la tyrannie, de la guerre qui détruit les civilisations. Bon: ne
soulevons pas ce problème, il nous mènerait trop loin 830
peut-être; mais la femme *(ricanement du Tueur)* . . . vous
savez bien de qui je veux parler, la jeune femme rousse
que vous a-t-elle fait? Quelles raisons aviez-vous de lui en
vouloir? Répondez!! *(Ricanement du Tueur.)* Admettons
que vous détestez les femmes : elles vous ont peut-être
trahi, elles ne vous ont pas aimé parce que . . . vous êtes
. . . enfin, vous n'êtes pas très beau . . . c'est injuste, en
effet, mais il n'y a pas que l'érotisme dans la vie, dépassez
cette rancune . . . *(Ricanement du Tueur.)* Mais l'enfant,
l'enfant, que vous a-t-il fait? Les enfants ne sont cou- 840
pables de rien! N'est-ce pas? Vous savez de qui je veux
parler : du petit que vous avez jeté dans le bassin avec la
femme et l'officier, le pauvret . . . les enfants sont notre
espoir, on ne doit pas toucher à un enfant, c'est l'opinion
générale! *(Ricanement du Tueur.)* Peut-être pensez-vous
que l'espèce humaine est mauvaise en soi. Répondez!
Vous voulez punir l'espèce humaine même dans l'enfant,
dans ce qu'elle a de moins impur . . . Nous pourrions

débattre publiquement, contradictoirement, ce problème, si vous voulez, je vous le propose! *(Ricanement,* 850
haussement d'épaules du Tueur.) Peut-être que vous tuez
tous ces gens par bonté! Pour les empêcher de souffrir!
Vous considérez que la vie n'est qu'une souffrance!
Peut-être, voulez-vous guérir les gens de la hantise de la
mort? Vous pensez, d'autres l'ont déjà pensé avant vous,
que l'homme est l'animal malade, qu'il le sera toujours,
malgré tous les progrès sociaux, techniques ou scientifiques et vous voulez pratiquer sans doute une sorte d'eu-
thanasie universelle? Eh bien, c'est une erreur, c'est une
erreur. Répondez! *(Ricanement du Tueur.)* Si, de toute 860
façon, la vie ne compte guère, si elle est trop courte, la
souffrance de l'humanité sera courte aussi : qu'ils souf-
frent trente ans, quarante ans ou dix ans de plus ou de
moins, qu'est-ce que cela peut vous faire? Laissez les
gens souffrir si c'est leur volonté. Laissez-les souffrir le
temps qu'ils veulent souffrir . . . De toute manière, cela
passera : quelques années ne comptent guère, ils auront
toute l'éternité pour ne plus souffrir. Laissez-les mourir
d'eux-mêmes, bientôt il ne sera plus question de rien.
Tout s'éteindra, tout finira de soi-même. Ne précipitez 870
pas les événements : c'est inutile. *(Ricanement du Tueur.)*
Mais vous vous mettez dans une situation absurde: si
vous croyez être un bienfaiteur de l'humanité en la
détruisant, vous vous trompez, c'est idiot! . . . Vous ne
craignez pas le ridicule? Hein? Répondez à cela! *(Ricane-*
ment du Tueur; gros rire nerveux de Bérenger; puis, après
avoir observé quelques instants le Tueur.) Je vois que cela
ne vous intéresse pas. Je n'ai pas mis la main sur le véritable problème, sur ce qui vous agite profondément.
Répondez-moi : détestez-vous l'espèce humaine? Dé- 880
testez-vous l'espèce humaine? *(Ricanement du Tueur.)*
Et pourquoi? Répondez! *(Ricanement du Tueur.)* Dans
ce cas, ne poursuivez pas les hommes de votre haine,
c'est inutile, ça vous fait souffrir vous-même, ça fait mal

de haïr, méprisez-les plutôt, oui, *je vous permets* de les
mépriser, éloignez-vous d'eux, vivez dans les montagnes,
faites-vous berger, tenez, vous vivrez parmi les moutons,
les chiens. *(Ricanement de l'assassin.)* Vous n'aimez pas
les bêtes non plus? Vous n'aimez rien de ce qui est vivant?
Pas même les plantes? . . . Mais les pierres, le soleil, les 890
étoiles, le ciel bleu? *(Ricanement et haussement d'épaules
du Tueur.)* Non. Non, je suis stupide. On ne peut pas
tout détester! Croyez-vous que la société est mauvaise,
qu'on ne peut pas l'amender, que les révolutionnaires sont
idiots? *(Haussement d'épaules du Tueur.)* Mais répondez-
moi donc, répondez! Aah! Le dialogue n'est pas possible,
avec vous! Écoutez, je vais me mettre en colère, gare à
vous! Non . . . non . . . je ne dois pas perdre mon sang-
froid. Je dois vous comprendre. Ne me regardez pas
comme cela de votre œil d'acier. Je vais vous parler 900
franchement. Tout à l'heure, j'avais l'intention de me
venger, moi et les autres. Je voulais vous faire arrêter,
vous faire guillotiner. La vengeance est stupide. Le
châtiment n'est pas une solution. J'étais furieux contre
vous. Je vous en voulais à mort . . . dès que je vous ai
vu . . . pas tout de suite, pas à la seconde même, non,
mais au bout de quelques instants, je vous ai . . . c'est
ridicule de dire cela, vous ne me croirez pas, et pourtant
je dois vous le dire . . . oui . . . vous êtes un être humain,
nous sommes de la même espèce, nous devons nous en- 910
tendre, c'est notre devoir . . . au bout de quelques instants, je vous ai aimé, ou presque . . . car nous sommes
frères . . . , et si je vous déteste je dois me détester moi-
même . . . *(Ricanement du Tueur.)* Ne riez pas: cela existe,
la solidarité, la fraternité humaine, j'en suis convaincu, ne
vous moquez pas . . . *(Ricanement, hausement d'épaules
du Tueur.)* . . . Ah . . . mais vous êtes un . . . vous n'êtes
qu'un . . . écoutez-moi bien. Nous sommes les plus forts,
moi-même je suis plus fort physiquement qui vous, malheureux infirme, créature débile! En plus, j'ai la loi de 920

mon côté . . . la police! *(Ricanement du Tueur.)* La justice, toutes les forces de l'ordre! *(Même jeu du Tueur.)* Je
ne dois pas, je ne dois pas me laisser emporter . . . excusez-moi . . . *(Même jeu de l'assassin. Bérenger s'éponge
le front.)* Vous êtes plus maître de vous que je ne suis
maître de moi . . . mais je me calme, je me calme . . . ne
vous effrayez pas . . . D'ailleurs, vous ne semblez pas
effrayé . . . Je veux dire, ne m'en veuillez pas . . . mais
vous ne m'en voulez pas non plus . . . non, ce n'est pas
cela, je n'y suis pas . . . Ah, oui, oui . . . peut-être ne   930
savez-vous pas: *(très fort)* le Christ est mort sur la
croix pour vous, il a souffert pour vous, il vous aime!!!
Vous avez certainement besoin d'être aimé, vous pensez
que vous ne l'êtes pas! *(Même jeu du Tueur.)* Je vous
donne ma parole d'honneur que les saints versent des
larmes pour vous, des torrents, des océans de larmes.
Vous en êtes baigné de la tête aux pieds, il est impossible
que vous ne vous en sentiez pas un peu trempé! *(Ricanement du Tueur.)* Ne ricanez plus. Vous ne me croyez pas,
vous ne me croyez pas! . . . Si un Christ ne vous suffit   940
pas, je m'engage solennellement à faire monter sur des
calvaires rien que pour vous, et de les faire crucifier, par
amour pour vous, des bataillons de sauveurs! . . . Ça
doit se trouver, j'en trouverai! Voulez-vous? *(Même jeu
du Tueur.)* Voulez-vous que le monde entier se perde
pour vous sauver, pour que vous ayez un instant de bonheur, un sourire? Cela aussi, ça peut se faire! Je suis moi-
même prêt à vous embrasser, à faire partie de vos con-
solateurs; je panserai vos blessures, car vous en avez,
n'est-ce pas? Vous avez souffert, n'est-ce pas? Vous souf-   950
frez toujours? J'ai pitié de vous, sachez-le. Voulez-vous
que je lave vos pieds? Voulez-vous des chaussures neuves,
ensuite? Vous avez horreur de la sentimentalité naïve.
Oui, je vois, on ne peut pas vous prendre par les sentiments. Vous ne voulez pas être englué par la tendresse!
Vous avez peur d'être dupe! Vous avez un tempérament

diamétralement opposé au mien. Les hommes sont tous
des frères, bien entendu, ce sont des semblables qui ne se
ressemblent pas toujours. Il y a cependant un point commun. Il doit y avoir un point commun, un langage com- 960
mun . . . Lequel? Lequel? *(Même jeu du Tueur.)* Ah, je
sais, maintenant, je sais . . . Vous voyez, je fais bien de ne
pas désespérer de vous. Nous pouvons parler le langage
de la raison. C'est le langage qui vous convient. Vous
êtes un homme de science, n'est-ce pas, un homme de
l'ère moderne, n'est-ce pas, j'ai deviné, un cérébral?
Vous niez l'amour, vous doutez de la charité, cela n'entre
pas dans vos calculs et vous croyez que la charité c'est une
tromperie! N'est-ce pas? N'est-ce pas? *(Ricanement du
Tueur.)* Je ne vous accuse pas. Je ne vous méprise pas 970
pour cela. Après tout, c'est un point de vue qui peut
se défendre, mais, entre nous, voyons : quel est votre
intérêt dans tout ceci? Votre intérêt? A quoi cela peut
vous servir, à vous? Tuez donc les gens, si vous voulez,
mais en esprit . . . laissez-les vivre physiquement.
(Haussement d'épaules, ricanement du Tueur.) Ah, oui, ce
serait là, une contradiction comique, à votre avis. De
l'idéalisme, pensez-vous! vous êtes pour une philosophie
pratique, vous êtes un homme d'action. Parfait. Mais à
quoi peut vous mener cette action? Quel est son but 980
final? Vous êtes-vous posé le problème des fins dernières?
*(Ricanement et haussement d'épaules un peu plus accentué
du Tueur.)* C'est une action tout simplement stérile,
épuisante, en somme. Cela ne vous procure que des
soucis . . . Même si la police ferme les yeux, ce qui arrive
dans la plupart des cas, à quoi bon tant d'efforts et de
fatigue, des plans d'action compliqués, des nuits de guets
épuisantes . . . le mépris des hommes? Cela vous est égal,
peut-être. Vous récoltez leur peur, c'est vrai, c'est quelque chose. Bon, mais qu'en faites-vous de leur peur? Ce 990
n'est pas un capital. Vous ne l'exploitez même pas. Répondez! *(Ricanement du Tueur.)* Tenez, vous êtes pauvre,

voulez-vous de l'argent? Je peux vous procurer du
travail, une bonne situation . . . Non. Vous n'êtes pas
pauvre? Riche? . . . Aah . . . bon, ni riche, ni pauvre! . . .
(Ricanement du Tueur.) . . . Je vois, vous ne voulez pas
travailler : vous ne travaillerez pas. Je prendrai soin de
vous, ou, plutôt, car je suis pauvre moi-même, je m'ar-
rangerai, nous nous cotiserons, j'ai des amis, j'en parlerai
à l'Architecte. Et vous vivrez tranquillement. Nous irons 1000
au café, au bar, je vous présenterai des filles faciles . . . Le
crime ne paye pas. Ne faites donc plus de crimes, vous
serez payé. C'est sensé ce que je vous dis! *(Ricanement du
Tueur.)* Acceptez-vous? Répondez, répondez donc!
Savez-vous le français? . . . Écoutez, je vais vous faire un
aveu déchirant. Moi-même, souvent, je doute de tout.
Ne le répétez à personne. Je doute de l'utilité de la vie, du
sens de la vie, de mes valeurs, et de toutes les dialectiques.
Je ne sais plus à quoi m'en tenir, il n'y a ni vérité ni charité, peut-être. Mais dans ce cas, soyez philosophe : si tout 1010
est vanité, si la charité est vanité, le crime aussi n'est que
vanité . . . Vous seriez stupide si, en sachant que tout
n'est que poussière, vous donniez du prix au crime, car
ce serait donner du prix à la vie . . . Ce serait prendre tout
au sérieux . . . ainsi, vous voilà en pleine contradiction
avec vous-même. *(Rire nerveux de Bérenger.)* Hein? C'est
clair, c'est logique, là je vous ai eu. Dans ce cas, vous
êtes lamentable, un pauvre d'esprit, un pauvre type.
Logiquement on a le droit de se moquer de vous! Voulez-
vous qu'on se moque de vous? Certainement pas. Vous 1020
avez certainement de l'amour-propre, le culte de votre
intelligence. Rien n'est plus gênant que d'être sot. C'est
beaucoup plus compromettant que d'être criminel, même
la folie a une auréole. Mais être sot? Être bête, qui peut
accepter ça? *(Ricanement du Tueur)*. Tout le monde
vous montrera du doigt. On dira : Ha! Ha! Ha! *(Ricanement du Tueur; déroute de plus en plus visible de Bérenger.)*
Voilà l'imbécile qui passe, voilà l'imbécile! Ha! Ha! Ha!

(Ricanement du Tueur.) Il tue les gens, il se donne un mal fou, Ha! Ha! Ha! et il n'en profite pas, c'est pour rien . . .1030 Ha! Ha! Voulez-vous qu'on dise cela, qu'on vous prenne pour un imbécile, un idéaliste, un illuminé qui « croit » à quelque chose, qui «croit» au crime, l'idiot. Ha! Ha! Ha! *(Ricanement de l'assassin.)* . . . qui croit à la valeur du crime en soi. Ha! Ha! *(Le rire de Bérenger se fige soudain.)* Répondez! C'est ce que l'on dira, oui . . . s'il reste des gens pour le dire . . . *(Bérenger se tord les mains, les joint, implore, s'agenouille devant le Tueur.)* Je ne sais plus quoi vous dire. Nous avons certainement eu des torts vis-à-vis de vous. *(Ricanement du Tueur.)* Peut-être n'en1040 avons-nous pas eu du tout. *(Même ricanement.)* Je ne sais. C'est peut-être ma faute, c'est peut-être la vôtre, peut-être ce n'est ni la mienne ni la vôtre. Il n'y a peut-être pas de faute du tout. Ce que vous faites est peut-être mal, ou peut-être bien, ou peut-être ni bien ni mal. Je ne sais comment juger. Il est possible que la vie du genre humain n'ait aucune importance, donc sa disparition non plus . . . l'univers entier est peut-être inutile et vous avez peut-être raison de vouloir le faire sauter, ou de le grignoter au moins, créature par créature, morceau par morceau . . .1050 Peut-être ne devez-vous pas le faire. Je ne sais plus du tout, moi, je ne sais plus du tout. Peut-être vous êtes dans l'erreur, peut-être l'erreur n'existe pas, peut-être c'est nous qui sommes dans l'erreur de vouloir exister . . . Expliquez-vous. Qu'en pensez-vous? Je ne sais, je ne sais. *(Ricanement du Tueur.)* L'existence est, selon certains, une aberration. *(Ricanement du Tueur.)* Les motifs que vous invoquez ne font-ils peut-être que masquer les raisons réelles que vous vous cachez à vous-même inconsciemment. Qui sait! Faisons table rase de1060 tout ceci. Oublions les malheurs que vous avez déjà faits . . . *(Ricanement du Tueur.)* C'est d'accord? Vous tuez sans raison, dans ce cas, je vous prie, sans raison je vous implore, oui, arrêtez-vous . . . Il n'y a pas de raison à

cela, bien sûr, mais justement puisqu'il n'y a pas de raison
de tuer ou de ne pas tuer les gens, arrêtez-vous. Vous tuez
pour rien, épargnez pour rien. Laissez les gens tranquilles,
vivre stupidement, laissez-les tous, et même les policiers,
et même . . . Promettez-le-moi, interrompez-vous au
moins pendant un mois . . . je vous en supplie, pendant 1070
une semaine, pendant quarante-huit heures, que l'on
puisse respirer . . . Vous voulez bien, n'est-ce pas? . . .
*(Le Tueur ricane à peine, sort de sa poche, très lentement, un
couteau avec une grande lame qui brille et joue avec.)* Ca-
naille! Crapule! Imbécile sanglant! Tu es plus laid qu'un
crapaud! Plus féroce qu'un tigre, plus stupide qu'un
âne . . . *(Léger ricanement du Tueur.)* Je me suis age-
nouillé . . . oui, mais ce n'est pas pour t'implorer . . .
(Même jeu du Tueur.) . . . C'est pour mieux viser . . . Je
vais t'abattre, après je te foulerai aux pieds, je t'écraserai, 1080
pourriture, charogne d'hyène! *(Bérenger sort de ses
poches deux pistolets, les braque en direction de l'assassin qui
ne bouge pas d'une semelle.)* Je te tuerai, tu vas payer, je
continuerai de tirer, ensuite je te pendrai, je te couperai
en mille morceaux, je jetterai tes cendres aux enfers avec
les excréments dont tu proviens, vomissure du chien
galeux de Satan, criminel crétin . . . *(L'assassin continue
de jouer avec la lame de son couteau; léger ricanement; immobile, il hausse à peine l'épaule.)* Ne me regarde pas
ainsi, je ne te crains pas, honte de la création . . . *(Béren-* 1090
*ger vise sans tirer en direction de l'assassin qui est à deux
pas, ricane et lève tout doucement son couteau.)* Oh . . . que
ma force est faible contre ta froide détermination, contre
ta cruauté sans merci! . . . Et que peuvent les balles
elles-mêmes contre l'énergie infinie de ton obstination?
(Sursaut.) Mais je t'aurai, je t'aurai . . . *(Puis, de nouveau, devant l'assassin qui tient le couteau levé, sans bouger
et en ricanant, Bérenger baisse lentement ses deux vieux
pistolets démodés, les pose à terre, incline la tête, puis, à
genoux, tête basse, les bras ballants, il répète, balbutie:)* 1100

Mon Dieu, on ne peut rien faire! . . . Que peut-on faire . . . Que peut-on faire . . .

(Tandis que l'assassin s'approche encore, ricanant à peine, tout doucement, de lui.)

Londres, août 1957.

Rideau.

NOTES

p. 39 *Bérenger*. Why Ionesco chose this name may be of no significance at all. However, Béranger (spelt with an a) was the name of a popular nineteenth century writer of satirical, anti-establishment songs. He is often regarded as the initiator of the *chansonnier* tradition.

ACT I

p. 41 . . . *une impression de calme étrange*. The effect that Ionesco wishes to produce is akin to the effect produced by the uncannily empty street scenes of the painter de Chirico. A variant on this effect is produced in Act III when Bérenger is left on his own. Ionesco links de Chirico's name with Kafka as an artist whose work seems to have an affinity with his own.

p. 42 . . . *un esprit laïque*. France, particularly since the Revolution, has a strong anti-clerical and free-thinking tradition. Ionesco here playfully makes his point that use of language depends less on the need to communicate than to express one's whole social and intellectual formation. The *esprit laïque*, by definition, believes in the supremacy of reason.

. . . *de l'or d'avant 1914*. Before the First World War gold was used for the 10, 20, 50 and 100 franc pieces.

p. 44 . . . *se vendaient-ils*. This change of tense is the first indication that all is not perfect in the *cité*.

p. 45 . . . *la cité radieuse*. One of Le Corbusier's most important pieces of urban design is the *cité radieuse* in Marseilles. Ionesco says that he does not mean to refer to this. The term *cité* in French can mean 'housing-estate' as well as city. Ionesco plays on the two meanings (which is why the term *cité* has been retained in the introduction to this edition).

p. 46 *Que j'ai eu du mal ce matin à me lever*. The narrator of *La vase* suffers from a similar experience.

p. 49 *Tous les tramways mènent ici* . . . L. C. Pronko, op. cit., p. 26, interprets the calm of the *cité radieuse* as the calm and perfection of death itself: 'The happy city is in reality the terminus, the depot of the street car that is life, for all the lines lead here we are told. And conveniently, right outside the walls of the city there is a cemetery.'

156

p. 50 . . . *d'un cinquième point cardinal ou d'une troisième hauteur.* Bérenger here suggests the existence of an extra dimension in space, a metaphysical rather than a physical one.

Les fleurs de feu . . . . Ionesco uses these surrealist images to suggest the intensity of Bérenger's inner vision. Richard Schechner (*Tulane Drama Review*, vol. 7, no 3, Spring, 1963) points out that fire is one of the pervading images in Ionesco's theatre and adds 'Fire has always been a symbol for the self, the ego.' He points out also that Bérenger refers to his vision of the four suns when describing the moment at which he has felt most secure.

p. 55 . . . *dans une petite ville de campagne.* This is a transcription of a personal experience of Ionesco's that he relates in *Entretiens* (p. 36–7):

> J'avais environ 17 ou 18 ans. J'étais dans une ville de province. C'était en juin, vers midi. Je me promenais dans une des rues de cette ville très tranquille. Tout d'un coup j'ai eu l'impression que le monde à la fois s'éloignait et se rapprochait, ou plutôt que le monde s'était éloigné de moi, que j'étais dans un autre monde, plus mien que l'ancien, infiniment plus lumineux; les chiens dans les cours aboyaient à mon passage près des clôtures, mais les aboiements étaient devenus subitement comme mélodieux, ou bien assourdis, comme ouatés; il me semblait que le ciel était devenu extrêmement dense, que la lumière était presque palpable, que les maisons avaient un éclat jamais vu, un éclat inhabituel, vraiment libéré de l'habitude. C'est très difficile à définir; ce qui est plus facile à dire, peut-être, c'est que j'ai senti une joie énorme, j'ai eu le sentiment que j'avais compris quelque chose de fondamental; que quelque chose de très important m'était arrivé. A ce moment-là, je me suis dit: 'Je n'ai plus peur de la mort'. J'avais le sentiment d'une vérité absolue, définitive. Je me suis dit que lorsque, plus tard, j'aurai des tristesses ou des angoisses, il me suffirait de me souvenir de ce moment-là pour retrouver la sérénité, la joie. Cela m'a soutenu un certain temps. A présent, ce moment-là, je l'ai oublié, je veux dire que je m'en souviens bien un peu, mais que ce n'est plus qu'un souvenir, comment dire, théorique . . . Je me souviens pour m'être répété, avoir voulu me remémorer ces moments. Je ne les ai plus jamais 'vécus'. Oui, ce fut une sorte de moment miraculeux qui a duré 3 ou 4 minutes. J'avais l'impression qu'il n'y avait plus de pesanteur. Je marchais à grands pas, à grands bonds, sans fatigue. Et puis, tout d'un coup, le monde est redevenu lui-même, il l'est toujours, ou presque.

Le linge qui séchait dans les cours des petites demeures provinciales ne ressemblait plus à des étendards, à des oriflammes, mais vraiment à du pauvre linge. Le monde était retombé dans un trou.

p. 56 . . . *quatre soleils dans le ciel.* See note to p. 50 above. This same image appears in somewhat similar circumstances in episode II of *La soif et la faim* when Jean thinks, for a moment, that he has found paradise.

p. 63 . . . *vous serez ma muse.* Bérenger in *Le piéton de l'air* is a writer by profession, as are Choubert and the Ionesco of *L'Impromptu de l'Alma.* This line suggests that this Bérenger is also a writer. The furnishing of his room in Act II would also seem to imply this.

p. 66 . . . *lancer la pierre.* This echo of the Gospel according to St. John, Ch. 8, v. 7, corresponds to a common expression in French: *Jeter la pierre à quelqu'un,* which carries with it an idea of blaming someone. Bérenger at this point once more experiences his feeling of alienation and of culpability.

p. 67 . . . *un officier du génie . . .* , 'belonging to the Engineers'.

p. 68 . . . *ni les radieux.* The inhabitants of the *cité radieuse.* Applied to a person, *radieux* suggests radiating joy and happiness. Now Bérenger realises that because of the killer the *radieux* do not exist.
Monsieur le Commissaire. The architect has gradually become the police-chief. This type of transformation is not uncommon in dreams. In the present context it seems natural that Bérenger should change his mode of address as the character to whom he is talking is transformed. Note, in the transformation, how the vocabulary of the architect changes from rather technical language to a much more popular style of speech.

p. 70 *Le changement doit s'effectuer par l'éclairage . . .* A setting of this type was used by Gaston Baty in 1926 for Jean-Victor Pellerin's expressionist play *Têtes de rechange.* The décor for a town by night consisted of a morris column and a bench in front of a background composed exclusively of lit-up signs forming what the critics of the time referred to as a *décor lumière.*
. . . *on y vend aussi des couronnes. Couronnes,* 'wreaths'. This is a curiously incongruous sideline for a *bistrot,* but it is also a reminder that we are back in the world of temporality and consequently of death.

p. 71 . . . *cela peut être le coin du plateau . . .* Note the freedom of Ionesco's use of stage space. The imagination can transform the stage into anything. Place is defined by the needs of the action or the mood of Bérenger. It is not a fixed frame within which the play has to be set and it is not in any sense purely picturesque. The seventeenth-century idea of unity of place is meaningless when talking about the theatre of Ionesco.

p. 74 . . . *les voitures individuelles* . . , 'private cars'.

. . . *la bonne âme* . . . This term is nearly always used with a shade of contempt.

p. 77 . . . *la manie des victimes* . . . This is a good example of how Ionesco takes a very common expression and then gives it an unexpected twist (in this case by substituting *victimes* for *criminels*, which virtually makes nonsense of it).

ACT II

p. 79 . . . *style régence* . . . Refers to the regency of Philippe d'Orléans during the minority of Louis XV (1715–1723). In terms of interior decoration, the style of this period is marked by a move away from the heavy monumental style of the reign of Louis XIV towards a lighter and more elegant style full of free-flowing curves.

p. 81 . . . *Monsieur Lelard.* The name evokes the popular expression, *un gros lard*, 'a big fat man'.

Dame. A familiar or regional expression implying a logical relationship between what has been said and what follows. The comic repetition of the word here underlines just how little logical thought there really is in this conversation.

p. 82 . . . *dans le trou.* Even in this banal conversation the death theme is present.

. . . *il est mort depuis quarante ans, c'était hier.* The contradiction of these two phrases is a good example of how the cliché, used without thought, can destroy itself.

. . . *Marc-Aurèle.* Roman emperor from 161 to 180 and the author of a collection of thoughts and maxims, written in Greek, resuming the doctrines of the Stoic school of philosophy. This may seem surprising literature for a concierge! The Stoic philosophy is one of acceptance; it is also one that places maximum emphasis on reason. This illustrates, at a comic level, a major theme of the play.

. . . *des philosophes à quatre sous* . . . 'two-penny-halfpenny philosophers'. By mentioning that she has no money the concierge restores to the expression the monetary significance that it has lost through use.

p. 83 . . . *la chambre d'Édouard.* It is of course Bérenger's room. This is presumably a slip, but it could be revealing should one wish to interpret the character of Édouard as the alter-ego of Bérenger.

p. 84 *Mademoiselle Colombine* . . . A common name for the main female servant in the commedia dell'arte troupes of the seventeenth and eighteenth centuries. A fantasy name that sounds strange in this environment. Note how sounds attract one another. The termination *-ine* immediately suggests, as in a word game, the word *concubine*. Then, by association with *concubine*, Pélisson's name is distorted to Polisson because of the implications of lechery and depravity contained in the latter word. Another word in *-ine* is found, *rouquine* (a familiar term for a red-head). Even the terms of abuse used by the two drivers seem to tie in. No sooner has Pélisson been referred to as Polisson than the lorry driver calls the motorist *Salaud! Satyre!*. A moment later the conversations blend together in a welter of alliteration: *Pélisson, Polisson, c'est pareil!, Tu peux pas être poli?*. Sound has taken over completely.

Y a pas d'étrangers . . . The concierge expresses an extreme form of the classification that the architect indulges in: racism.

p. 86 . . . *des gens très brillants* . . . This amusing interchange is another reference to the 'paradise lost' theme.

p. 87 . . . *je ne vends pas la mèche*. The pun is on the word *mèche*, meaning the wick of a candle, and the expression *vendre la mèche*, to give away a plot. Here too the comic effect comes from the sudden restoration of the literal meaning of a word in an expression where it is normally used figuratively.

p. 88 *Nous n'avons plus de brioches.* . . . A *brioche* is a sort of pastry made out of flour, butter and eggs. The reference here is to the famous story of Marie-Antoinette's reply to the starving people of Paris. So automatic has the anecdote become that the schoolmaster spoonerises it without noticing. This again is a case of words which have become divorced from their thought content.

p. 89 *Les chameaux aussi* . . . But boys are not camels. This may be a ridiculous example, but it demonstrates once more the danger of humanity being forced into inhuman systems.

p. 90 *Morvan l'évêque* . . . This is a pun on the name of the critic, Morvan Lebesque, initially suspicious of Ionesco but, ironically, amongst those 'converted' by *Tueur*. Ionesco's attitude to critics, particularly those who tell him how he should write his plays, is expressed unequivocally in *L'impromptu de l'Alma*, in which three well-known French critics, dressed-up in a molieresque manner as *docteurs en théâtralogie* are made to look ridiculous largely by the technique of giving them phrases from their own writings.

. . . *un coq au vin*. Chicken cooked in wine. This dish goes back at least to the sixteenth century and was a popular one in inns where it was usually prepared in front of the guests.

p. 91 *Contremaîtres* . . . In these four terms the sound once more breaks free from the sense. One word suggests the next, regardless of meaning (or spelling). *Paramètre* and *périmètre* are both mathematical terms meaning parameter and perimeter respectively.

p. 97 . . . *mon manque de mémoire.* This lack of memory is of no significance to Bérenger in Act I, but in Act II, where he is firmly planted in a temporal and spatial environment, it worries him as another symptom that he is following the downward path.

p. 100 *Moralement, c'est ici-même, là.* A reminder of the close link between the 'external' action and the inner drama of Bérenger himself.

p. 101 . . . *dans les abîmes.* Similar imagery is used by Bérenger in *Le piéton* when he returns from his flight, to the 'other side', which has given him only an Apocalyptic vision of Hell, beyond which, he says: *Il n'y a plus rien, plus rien que les abîmes illimités . . . que les abîmes.*

Tout cela est dit d'un ton déclamatoire. This is an interesting alienation effect. Bérenger must be recognizably human, but, at the same time, Ionesco wants to be sure that the audience look upon him as a representative of humanity as a whole, and not as an individual. Ionesco himself has some difficulty in keeping an objective distance from his characters: *Ce qui est le plus difficile c'est de ne pas s'attendrir sur soi-même ni sur ses personnages — tout en les aimant.* (*Notes et contre-notes,* p. 180).

p. 110 *Le nom du criminel* . . . This is not given. A name would individualize him and thus lessen his metaphysical significance.

p. 112 *C'était avant l'accomplissement* . . . This foreknowledge of events is similar to that of the captain of the fire-brigade in *La cantatrice chauve* who announces: *Puisque vous n'avez pas l'heure, moi, dans trois quarts d'heure et seize minutes exactement j'ai une incendie, à l'autre bout de la ville.*

La littérature mène à tout. This may be compared with *La leçon.* The maid in that play tries to warn the teacher off the subject of philology: *La philologie mène au pire!* Language in both plays is shown to be dangerous and able to destroy the individual self. There are a number of thematic and structural parallels to be drawn between *Tueur* and *La leçon.*

ACT III

p. 116 *la mère Pipe.* The verb *piper* is used in connexion with luring birds into a trap; in figurative usage it is associated with cheating (e.g. *les dés sont pipés*). As the crowd listening to mère Pipe are described as geese, the suggestive value of the name is obvious. The name also has an echo of the *contes de ma mère l'Oie* (Mother Goose stories), which suggests that what mère Pipe tells the crowd is only 'fairy-tales'.

p. 116 . . . *la concierge du premier acte*. One should presumably read *deuxième*.

des oies publiques. Perhaps an allusion to the geese, sacred to Juno, which were kept in the Capitol and are reputed to have saved Rome from a surprise attack thanks to their cackling.

p. 117 . . . *le chariot de l'État* . . . The usual metaphorical expression is *le char de l'État*. Later she will serve up the expression as *les charrettes de l'État*. Again the humorous effect is obtained by taking a common locution and changing it very slightly so that it remains recognizable but sounds strange.

p. 118 . . . *un homme politique, la mère Pipe* . . . French does not possess a feminine of the phrase *un homme politique*. Ionesco suggests that language is not even capable of distinguishing between the sexes, and this again shows its dehumanizing influence.

. . . *pas un instant à perdre*. As he says this Bérenger sits. In this contradiction Ionesco indicates that there is no necessary link between actions and words. Here Bérenger's actions literally go against what he has just said.

p. 119 . . . *la soupe populaire*. An allusion to the Nazi idea of communal eating to show solidarity. No question of 'charity' here.

p. 120 . . . *un homme ivre mort* . . . In the original production this part was taken by the same actor as the drunken tramp of Acts I and II. These, apart from Bérenger, are the two most sympathetic characters—if for no other reason, because of the opposition they offer to the patron, the concierge and mère Pipe. A fondness for alcohol is seen by Ionesco as a very human weakness. It is the weakness of Bérenger in *Rhinocéros*.

. . *la réhabilitation du héros*. The hero is by definition the supreme example of the individual, of the man who does not belong to the mass. In the mid-twentieth century, which believes that history is made by peoples, not by individuals, he is an unfashionable figure.

p. 121 . . . *au pas de l'oie* . . . , the 'goose-step', suggestive of Nazism.

p. 122 . . . *celui qui ose penser contre l'histoire* . . . Ionesco's great reproach to his father was that he was an opportunist who always went in *le sens de l'histoire* (*Présent passé Passé présent*, p. 27).

p. 124 *Tous se précipitent* . . . The struggle for the briefcase as it passes from hand to hand is modelled on a fairly basic circus-clown routine. This could be compared with the hat scene in *En attendant Godot*.

p. 125 *La science et l'art* . . . The drunkard expresses some of Ionesco's own opinions. By putting serious ideas into the mouth of a comic figure, Ionesco tries to suggest that these are not necessarily his own. Ionesco does not like dramatists who use their characters as mouthpieces for their ideas. Albert Einstein, the physicist, is best known for his Theory of Relativity which revolutionized traditional concepts of time and space. J. Robert Oppenheimer, the American physicist, is important for his interest in the application of the methods of quantum mechanics to problems involving the nucleus of the atom. André Breton, who has been referred to already, was much admired by Ionesco who claimed that he had *réinventé la littérature*. Wassily Kandinsky was an abstract painter whose work interested Ionesco. A celebrated Kandinsky watercolour of 1910 is often regarded as the starting point of modern art. Pablo Picasso is also one of the most important revolutionaries of twentieth-century art. '*Depuis Klee, Kandinsky, Mondrian, Braque, Picasso, le peinture n'a fait qu'essayer de se libérer de ce qui n'était pas peinture . . . les peintres tentent de re-découvrir les schèmes fondamentaux de la peinture, les formes pures, la couleur en soi.*' (*Notes et contre-notes*, p. 68–9). Ivan Pavlov, the Russian physiologist, celebrated for his research on the formation of conditioned reflexes, would appear to be included in this list as a reminder of the automat-like responses of most of the characters who are able to cope only with situations that are immediately familiar to them.

p. 127 . . . *Style guignol*. The Guignol theatre is the French equivalent of Punch and Judy. Guignol himself, as a stock puppet, originated in Lyons at the beginning of the 19th century. Most Guignol plays involve an important element of slapstick and fights in which characters are summarily knocked over the head. In *Notes et contre-notes* (p. 53) Ionesco recalls how his mother used to take him to the Guignol theatre in the Luxembourg gardens in Paris:

> Le spectacle du guignol me tenait là, comme stupéfait, par la vision de ces poupées qui parlaient, qui bougeaient, se matraquaient. C'était le spectacle même du monde, qui, insolite, invraisemblable, mais plus vrai que le vrai, se présentait à moi sous une forme infiniment simplifiée et caricaturale, comme pour en souligner la grotesque et brutale vérité.

. . . *des jeux de l'oie*. The game of goose. This is played with two dice on a board divided into 63 compartments (with a picture of a

163

goose in every ninth compartment). It is a very old game, being mentioned in Molière's *L'Avare* (Act II, scene 1) where it is referred to as *un jeu de l'oie renouvelé des Grecs.*

p. 131 . . . *toujours la même heure.* In fact his watch has stopped, but Bérenger sees nothing unnatural in time standing still.

p. 132 *A gauche, à droite.* . *Un agent de police (on appelle cela un repré-sentant de l'ordre mais on devrait plutôt dire un représentant du désordre établi), ne peut pas être beau. Ou alors, il y a une contra-diction avec son rôle.'* (Interview given to Paul Giannoli, *Candide,* 7.12.1961.) This comment of Ionesco's would seem to underline his attitude towards authority and to explain why the police should be one of the major obstacles Bérenger has to encounter.

p. 135 *Je considère qu'un pays est perdu* . . . The form of expression may raise a smile, but the point Bérenger makes is a sinister one, as he hints at the danger of a police state. This comment immediately makes him the object of the aggressive attentions of the police who have previously ignored him.

p. 144 . . . *il est tout petit* . . . In the Paris productions of 1959 and 1967 the killer was played by an actor whose physique did not corre-spond to Ionesco's description. He appeared not as a decrepit little figure, but as a mindless young thug in blue jeans.

. . . *pas de tueur.* This alternative makes it even clearer that the killer is symbolic.

p. 145 *Je veux comprendre.* In Act I the architect, the *esprit scientifique,* tried to talk the language of reason to Bérenger—*Tâchez donc de comprendre.* Now Bérenger is using similar terminology. A com-parison of the situations is interesting.

p. 146 . . . *le monde est condamné au malheur.* One of Bérenger's lines of approach to the killer is the theological one, which he tries from various angles. Here he puts forward what is roughly the Manich-ean view, according to which Satan is co-eternal with God and the world is constantly torn between the opposing principles of good and evil. Voltaire, in his story *Candide,* introduces a Manichean philosopher in the character of Martin, whose view is a particu-larly pessimistic one, since he is convinced that evil is stronger than good.

p. 148 . . . *gros rire nerveux.* Laughter on the stage is not very common with Ionesco. When it does occur it nearly always indicates un-easiness, not amusement.

p. 154 *Tu es plus laid qu'un crapaud.* Note the switch to *tutoiement* for the final part of Bérenger's monologue. This can be compared with the change from the *vous* to the *tu* form of address which occurs near the end of a racinian tragedy, when the characters, because of the intensity of the situation, abandon the indirect approach for a direct and personal mode of address. Here, Bérenger has come to an end of all the protective generalizations by which man tries to explain the meaningless: he is now face to face with it.

p. 154 ... *je te couperai en mille morceaux*. Richard Schechner (art. cit.) points out that this threat of Bérenger's echoes the legend of Osiris, whose body, according to the legend, was supposed to have been cut up into a number of pieces and scattered. One version of the legend tells how Isis, Anubis and Horus reassembled the body and made him whole again. Thus Osiris came to be associated with the resurrection myth. In *Tueur* the rôles are of course reversed. Here Man (Bérenger) wants the impossible, he wants to kill Death and end its dominion.

CHRONOLOGY

1912 (November 26th), Eugène Ionesco born in Slatina, Rumania (his mother is French, his father Rumanian).

1913 The family moves to Paris.

1921 Brought with his sister to stay at la Chapelle-Anthenaise.

1925 Returns to Rumania.

1929 Begins to study French at the University of Bucharest.

1930–1939 Writes literary criticism for various Rumanian periodicals.

1936 Marries Rodica Burileano.

1939 Returns to Paris.

1945 Works as a corrector in a civil-service publishers.

1948–9 Writes *La Cantatrice chauve*.

1950 First production of *La cantatrice* at the Théâtre des Noctambules.

1951 *La leçon* at the Théâtre de Poche.

1952 *Les chaises* at the Théâtre du Nouveau-Lancry.

1953 *Victimes du devoir* at the Théâtre du Quartier latin. 7 short plays at the Théâtre de la Huchette. First volume of the plays published by Éditions Arcanes.

1954 *Amédée, ou comment s'en débarrasser* at the Théâtre de Babylone.

1955 *Jacques ou La soumission* at the Théâtre de la Huchette. *La photo du colonel* published in the *Nouvelle Revue Française*. *Le Nouveau locataire* first performed in Finland.

1956 *L'Impromptu de l'Alma* at the Studio des Champs-Elysées. Publishes story *La vase* in *Cahiers des Saisons*.

1957 *Le Nouveau locataire* at the Théâtre d'Aujourd'hui. Writes *Tueur sans gages*. Publishes the story *Rhinocéros* in *Les Lettres Nouvelles*.

1958 Writes *Rhinocéros* (gives a public reading of the last act at Théâtre du Vieux Colombier on November 25th.)

1959 *Tueur sans gages* at the Théâtre Récamier.
Scène à quatre at the Spoleto festival.
Rhinocéros first performed in Dusseldorf.

1960 *Tueur sans gages* performed in New York.
Rhinocéros at the Odéon, Théâtre de France.

1962 *Délire à deux* at the Studio des Champs-Elysées. *L'avenir est dans les œufs* at the Théâtre de la Gaîté-Montparnasse. *Le roi se meurt* at the Théâtre de l'Alliance Française. *La colère*, scenario for the first episode of Sylvain Dhomme's film, *Les sept péchés capitaux*.

1963 *Le piéton de l'air* first performed in Dusseldorf.
      Le piéton de l'air at the Théâtre de France.
1964 Operatic version of *La photo du colonel*, music and libretto by
      Humphrey Searle, B.B.C. Third programme.
1965 *La soif et la faim* first performed in Dusseldorf. *La lacune* staged by
      the Centre dramatique du Sud-Est.
1966 *La soif et la faim* at the Comédie-Française. *Au pied du mur* and
      Leçons de français pour Américains at the Théâtre de Poche-
      Montparnasse. *Mêlées et démêlées* (programme of 5 short plays) at
      the Théâtre de la Bruyère.
1969 Programme of short plays and sketches at the Absidiole.
1970 *L'Épidemie ou Jeux de massacre* first performed in Dusseldorf. *Jeux
      de massacre* at the Théâtre Montparnasse.
1971 Macbett.

SELECTIVE BIBLIOGRAPHY

IONESCO *Théâtre*, 4 vols., Gallimard, 1954–1966.

Jeux de massacre, Gallimard, coll. 'Le manteau d'Arlequin', 1970.

Macbett, Gallimard, coll. 'Le manteau d'Arlequin', 1972.

La photo du colonel, Gallimard, 1962.

Notes et contre-notes, Gallimard, coll. 'Idées', 1966. (All page references in the introduction are to this edition, rather than the Gallimard edition of 1962).

Entretiens avec Claude Bonnefoy, Paris, Belfond, 1966.

Journal en miettes, Paris, Mercure de France, 1967.

Présent passé Passé présent, Paris, Mercure de France, 1968.

Découvertes, Geneva, Skira, 1969.

ABASTADO, C. *Ionesco*, Paris, Bordas, 1971.

BENMUSSA, S. *Eugène Ionesco*, Paris, Seghers, 1966.

BRADESCO, F. *Le monde étrange de Ionesco*, Paris, Promotion et Édition, 1967.

COE, R. *Ionesco, a study of his plays*, London, Methuen, 1971.

DONNARD, J.-H. *Ionesco dramaturge, ou l'artisan et le démon*, Paris, Minard, 1966.

PRONKO, L. *Eugène Ionesco*, Columbia University Press, 1965.

SENART, P. *Ionesco*, Paris, Editions Universitaires, 1964.